天皇制とキリスト者

飯沼二郎

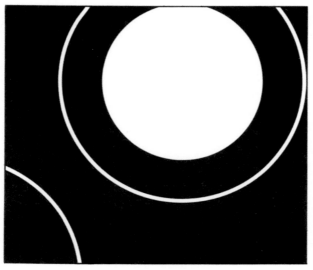

日本基督教団
出版局

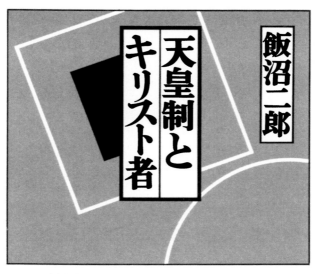

はじめに

かつて日本政府による神社参拝、つまり天皇制に対して、朝鮮人キリスト者は果敢に抵抗し、大きな犠牲をはらったけれども、日本人キリスト者は、天皇制に対して、ほとんど抵抗らしい抵抗をしなかった。このことは、日朝両キリスト者の信仰の深浅によるものと、一般に考えられているが、日本人キリスト者のなかにも、たとえば内村鑑三、植村正久のようなすぐれた信仰者がいたのであり、信仰の深浅がその原因とは考えにくい。私は、その原因を、天皇制と民族的自立との関係が、日本と朝鮮でちょうど逆転していたことによるものと考える。そして、このことは、日本人キリスト者と天皇制との関係を考える上において、きわめて重要な問題をふくんでいるが、こんにち、なお、ほとんど理解されていない。私は、その問題を明らかにするために、本書を書いた。

戦後四五年の日本の歴史は、一言でいえば基本的人権と民族エゴイズムの絶え間ざる闘争の歴史であった（基本的人権とは、すべての民族の人権を等しく認めることであり、これに対して、民族エゴイズムとは、日本民族の人権のみしか認めないことである）。この観点からみるとき、こんにちの日本と、イエス当時のユダヤの社会とは、きわめて似ていることに気がつく。イエス当時のユダヤ人社会においては、民族差別、民族エゴイズムが強かった一方で、それに対する反対の運動も、とくにイエスによって始められていたのである。私たちは、キリスト教の原点にたちかえって、改めてイエスの言葉のもつ意味（民族エゴイズムと基本的人権について）を考えてみる必要がある。それが、キリスト教の信仰を、真に現在の日本に生かす道である。

私は、一九六八年以来、全く偶然に在日韓国・朝鮮人問題にかかわりをもつようになり、約七〇万人といわれる在日韓国・朝鮮人にたいして、日本政府および日本人一般の行なっている差別の実態にガク然とした。そして、日本人の行なっている民族差別に気がつくようになるにつれて、天皇制のもつ意味に気がつくようになった。

たとえば、日本人が日本の国歌をうたって何が悪いという日本人が多い。「君が代」は一度も国会で「国歌」とするという決議をされたことはないが、この「君が代」が教育勅語や「日の丸」と三点セットになって、三六年間の植民地支配に、朝鮮人を肉体のみならず魂まで日本人の奴隷にしようとした同化政策の最も重要な一翼をになったことを知ると、そのことに全く無反省に、まだ頭のやわらかい小・中学校の生徒にたいして、「君が代」斉唱を強制している文部省の学習指導要領のおそろしさに気がつく。

学習指導要領は、その理由として、国際化に負けない強い日本人をつくるためだといっているが、過去の同化政策を無条件に肯定するような「強い日本人」は、真の国際化には少しも役に立たない。かえって、障害になるばかりである。民族エゴイズムを否定することこそ、国際化の第一歩なのである。

明治以来こんにちに至るまで、政府によって国民統合の基礎とされてきた天皇制の根本思想は民族エゴイズムである。政府が、天皇の即位礼、大嘗祭を突破口として、戦前の天皇制（天皇主権）への復帰をねらっているのも、基本的人権思想の滲透によって弱体化されてきた民族エゴイズムを強化し、古い意味での国民統合の強化をねらっているからである。しかし、ますます国際化がすすもうとしている世界の現状のなかで、民族エゴイズムの強化には、日本の将来はない。イエスの、したがってキリスト教の精神が、民族エゴイズムの否定と基本的人権の尊重にあることをおもうならば、天皇制＝民族エゴイズムの否定こそ、キリスト教を真のキリスト教たらしめる道であることが理解される。

本書の執筆については同志社大学人文科学研究所で毎月一回、土肥昭夫教授を中心として行なわれている「近代天皇制とキリスト教」研究会に負う所が多い。また本書を執筆する機縁をつくって下さった日本基督教団出版局の本村利春氏、柴崎聰氏にも感謝する。著書からの引用を許して下さった方々にも感謝する。引用文はすべて当用漢字、発音式カナ使いに統一した。最後に装丁をして下さった田村義也氏に感謝する。田村氏の装丁で本を出すことは、私の長年の念願であった。

一九九一年四月三〇日

飯沼二郎

目次

装丁　田村義也

天皇制とキリスト者

第一章　なぜイエスは殺されたか

同化政策と神

ヨハネによる福音書の一一章四九—五〇節に、次のような大祭司カヤパの言葉が記されている。

「あなたがたは、何もわかっていないし、ひとりの人が人民に代って死んで、全国民が滅びないようになるのがわたしたちにとって得だということを、考えてもいない」(1)

従来、このカヤパの言葉は、イエスの死によって、キリスト者ひとりひとりが救われることを預言したものとされている。私も、そう思ってきた。しかし、最近、天皇制におもいを深めているうちに、その解釈はまちがっているのではないか、あるいは、少なくとも不充分ではないか。

やはり言葉どおり、ひとりひとりの救いではなしに、全国民の救いと解釈すべきではないかと考えるようになった。すなわち、イエスが死ぬことによって、ユダヤ民族の民族的団結が保たれることはよいことだと解すべきなのである。

ユダヤ民族の民族的団結は、紀元前六世紀の南ユダ王国の滅亡以来、たえず崩壊の危機にさらされてきた。古代奴隷制社会における戦争は、近代の帝国主義戦争が植民地の獲得を目的としていたように、奴隷の獲得を目的としていた。ちょうど、こんにちの日本人が、電気洗濯機や電気冷蔵庫のような電気製品がなければ、一日も生活できないように、或いはそれ以上に、古代地中海社会においては、奴隷がいなければ、一日も生活できなかったのである。奴隷は、生産の場においてのみならず、生活の場においても、たとえば家の掃除、洗濯、料理などから、子供の家庭教師に至るまで必要とされていた。

古代地中海社会においては、戦争はもうけの多い事業であった。戦争に出かける将軍は、まず、商人から戦費を前借りした。そして、戦争の結果、たくさんの捕虜を連れて戻ってくると、その捕虜を奴隷として売りさばいて、借金を商人に返し、残金を自分のふところにしまいこんだ。

古代地中海社会には、各民族にかならず守護神がいた。したがって、戦争は民族と民族とのたたかいというよりは、むしろ守護神と守護神とのたたかいであった。負けた民族は、守護神のゴリヤクがなかったわけだから、勝った民族の都市に連れてこられて奴隷にされると、もはや、そのような守護神をおがむことを止め、勝った民族の守護神をおがんだ。勝った民族にとっても、そのほうが都合がよかった。勝った民族の守護神をおがむ奴隷が、その守護神に、すなわち、勝った民族に反抗するはずはなかったからである。勝った民族は、積極的に、奴隷に自分たちの守護神をおがませた。たとえば出エジプト記にいわれているように、支配民族であるエジプト王は、自分の像を神殿にかざって、それを奴隷であるイスラエル人におがませた。

奴隷たちは、勝った民族の守護神をおがんでいるあいだに、いつのまにか、その民族性を消滅していった。ちょうど、熱い紅茶のなかに投じられた角砂糖のようにとけていった。これこそ、文字どおりの同化政策である。こうして、負けた民族は、古代地中海社会の中にとけこんでしまい、もはや、こんにちまで歴史のなかに名をとどめている民族は一つもない。いや、ただ一つだけ、負けて奴隷にされても民族性を失わなかった民族がある。それがユダヤ民族である。

出エジプト記二〇章二―三節をみよう。

「わたしはあなたの神、主であって、あなたをエジプトの地、奴隷の家から導き出した者である。あなたはわたしのほかに、なにものをも神としてはならない」

出エジプト記をはじめモーセ五書は、ユダヤ民族が奴隷として首都バビロンやバビロニア国内の各地にとどめられていた、捕囚期に成立したものといわれている。モーセ五書に、神の恵みの言葉として律法が記されているが、それは、こんにちの『六法全書』などのように、ただたんに法律を羅列したようなものではなく、「荒野」なるバビロンから、いつの日か、故国に帰るとき、二度とふたたび、亡国のあやまちをくりかえさないために編纂されたものなのである。したがって上記の出エジプト記の言葉は、バビロニアによる同化政策に対する強い抵抗の言葉と、読むべきである。

ホセアによる神の発見

では、なぜ、亡国によっても、ユダヤ民族は、民族性を失わなかったのか。古代地中海社会における亡国の民族が、敗戦によって、従来の守護神を見捨てたなかにあって、ただひとりユダヤ民族のみは、敗戦はヤハウェがバビロニアの神々に負けたのではなしに、不信仰な自分たちをもう一度身元に引きもどすための、ヤハウェの愛の鞭だと考えたのである。ゴリヤク信仰から、愛の鞭を振う神の信仰へ！　これは、まことに驚くべき大転換である。

そのような大転換を準備したのは、まず、預言者ホセアであった。彼の出現したのは、ホセア書一章四節からみて、北イスラエル王国のエヒウ家の滅びた紀元前七四六年をさかのぼる数年前とおもわれる。北イスラエル王国そのものがアッシリアに滅ぼされる約三〇年程まえのことである。

ホセアは、その不幸な結婚生活を通じて――妻ゴメルとの間に生まれた三人の子供のうち、第二子のロルハマ（憐れまれぬ者）、第三子のロアンミ（わが民に非ざる者）の名は、妻の不義によって生まれたというホセアの怒りをあらわしている――その結果、彼は、妻なるイスラエル民族に背かれた夫ヤハウェの痛みと愛とを知るに至ったのである。すなわち、ホセアは、イスラエル民族が神ならざるものに頼り、神を忘れ、神を棄てた現実をみて、それを神への姦淫とみなした。

このような民に対して、神の愛はあくまでも真実であり、真実の愛の故に、神は悔い改めざる不実の民を罰せずにはおかない。しかし、それは、憎しみに基づくものでも、タタリでもなく、不実な妻を愛するが故の怒りであり、したがって、もし妻が、その不実を悔いて夫のもとに戻ってくるならば、夫なる神はたちどころに怒りを忘れて、妻なるイスラエル民族を胸にだきしめるのである。

私たち日本人には、キリスト教の神が、愛の神であると同時に義の神であるということが、非常にわかりにくい。それは私たちが、神々をただゴリヤクの対象としか考えてないからである。日本の神々には、それぞれタブーがあり、それを破るとタタリがある。タタリは神々の怒りのあらわれではあっても、決して愛のあらわれではない。だから、私たち日本人は、「さわらぬ神にタタリなし」として、神々を敬遠する。そこでは、神々と人間との関係は、ただ一方的な支配と被支配の関係でしかない。

ところが、キリスト教の神と人間との関係は夫と妻との関係であって、一個の人格と一個の人格との関係である。人間は、自己の自由意志によって、神に背くこともできるし、また神に立ち戻ることもできる。人間の背信に対して神は烈しく怒るが、それは愛のあらわれであり、神の義と愛とは一体のものなのである。このような神と人間との関係に、人格的な相互関係をはじめて明確に見出したのは、ホセアであった。

世界中がまだ神々のタブーとタタリにおびえていた古代の闇のなかで、このような神と人間との関係を発見したホセアは、まことに偉大な預言者といわなければならない。そして、このようなホセアがあったればこそ、エレミヤによる大転換もまた可能になったのである。

エレミヤの亡国の預言

エレミヤ書の至る所に、私たちはホセア書の影を見出す、北イスラエル王国の滅亡（前七二一年）の一三四年後、南ユダ王国もまた滅亡するが、そのときエレミヤは、この両国を不信の姉妹になぞらえていう。「ヨシヤ王の時、主はまたわたしに言われた。（中略）『わたしが背信のイスラエルを、そのすべての姦淫のゆえに、離縁状を与えて出したのをユダは見た。しかもその不信の姉妹ユダは恐れず、自分も行って姦淫を行った。彼女にとって姦淫は軽いことであったので、石と木とに姦淫を行って、この地を汚した。このすべての事があっても、なおその不信の姉妹ユダは真心をもってわたしに帰らない、ただ偽っているだけだ』と主は言われる」（エレミヤ書三章六―一〇節）。

エレミヤの生涯は悲惨の一言に尽きる。もちろん、預言者はすべて権力者に弾圧され、人々からは嘲笑され罵倒されて、悲惨な生涯をおくるのだが、中でもエレミヤほど苦難の生涯をおくった預言者はいない。彼は、南ユダ王国の滅亡を、生涯にわたって預言しつづけ、遂に、みずからの意に反して、その預言の実現をみなければならなかったのである。

彼の亡国の預言はなかなか実現しなかった。人々は彼を嘲った。彼は、何度か預言することを止めようとした。しかし、神は、彼が預言を止めることを許したまわなかった。

「主よ、あなたがわたしを欺かれたので、
わたしはその欺きに従いました。
あなたはわたしよりも強いので、
わたしは説き伏せられたのです。
わたしは一日中、物笑いとなり、
人はみなわたしをあざけります。
それは、わたしが語り、呼ばわるごとに、
『暴虐、滅亡』と叫ぶからです。
主の言葉が一日中、
わが身のはずかしめと、あざけりになるからです。
もしわたしが、『主のことは、重ねて言わない、
このうえその名によって語る事はしない』と言えば、

主の言葉がわたしの心にあって、燃える火の
わが骨のうちに閉じこめられているようで、
それを押えるのに疲れはてて、
耐えることができません」（エレミヤ書二〇章七—九節）

しかし、エレミヤの神に対する信頼は、ゆらぐことはない。前五九八年、南ユダ王国は、遂にバビロニアによって滅ぼされるが、人々は彼に向って、預言が実現して満足だろうという。これほど、彼の気持から遠いことはないのに。

エレミヤにおける大転換

バビロニアは、当時の複雑な国際情勢を顧慮して、ユダ王国の人々を半分だけ捕虜として連れ去り、あとの半分は残して、傀儡政府の下に、王国の存続を許す。ユダ王国の人々は、これで亡国をまぬかれた、国難は去ったと安心して、不信を悔い改めようとはしない。一二〇年前、北イスラエル王国がアッシリアによって滅ぼされたとき、同じくアッシリア軍によって包囲され、落

城寸前の状態にあったエルサレムから、一夜にしてアッシリア軍が撤退した。ペストの蔓延によるものであろうといわれている。ともかく、南ユダ王国は、亡国をまぬかれたのである。それは、ソロモンに対する神の約束、「あなたがもし、あなたの父ダビデが歩んだように全き心をもって正しくわたしの前に歩み、すべてわたしが命じたようにおこなって、わたしの定めと、おきてとを守るならば、わたしは、あなたの父ダビデに約束して『イスラエルの王位にのぼる人があなたに欠けることはないであろう』と言ったように、あなたのイスラエルに王たる位をながく確保するであろう」（列王紀上九章四―五節）によって、ダビデの子孫が王として支配するエルサレムは、永久に亡びることはないと、人々は確信していたからである。偉大な預言者イザヤも、北イスラエル王国がアッシリアによって滅ぼされたとき、「主はアッスリヤの王について、こう仰せられる、『彼はこの町にこない。またここに矢を放たない。また盾をもって、その前にこない。また塁を築いて、これを攻めることはない。彼は来た道から帰って、この町に、はいることはない、と主は言う。わたしは自分のため、また、わたしのしもべダビデのために町を守って、これを救おう』」（イザヤ書三七章三三―三五節）と預言し、結局、その預言どおりになったではないか。ああの偉大なる預言者イザヤに較べて、このエレミヤという男は何者か。現に、亡国という彼の預言は当らなかった。もはや、亡国の危機は去り、バビロニア軍は二度と来ないであろう。われわれこそ、イザヤのいう「万軍の主が残された者」(イザヤ書一章九節)であり、「木が切り倒されるとき、その切り株が残るように」残された切り株としての「聖なる種族」である(イザヤ書六章一三節)と人々は考えた。捕虜としてバビロニアに連行された人々は、その不信の結果なのである。彼らは、ヨシュアが、不信な人々に対して、「あなたがたはついに、あなたがたの神、主が賜わったこの良い地から、滅びうせるであろう」と預言したとおりになったのである(ヨシュア記二三章一三節)。

苦難をきわめたエレミヤの生涯のなかでもとくに第一回の亡国(前五九八年)から、第二回の決定的な亡国(前五八七年)に至る一〇年間ほど、苦難に満ちたときはなかった。人々は、なおも人々の不信をせめ、亡国の預言をつづけるエレミヤの声に聞こうとはしなかった。

エレミヤは、あるとき、一つのまぼろしをみた。主の宮の前に、いちじくを盛った二つのかごがあった。一つのかごには、非常に良いいちじくが、ほかのかごには非常に悪くて食べられないいちじくが入っていた。そのとき、神の言葉がエレミヤにのぞんだ。

「イスラエルの神、主はこう仰せられる、この所からカルデヤびとの地に追いやったユダの捕われ人を、わたしはこの良いいちじくのように顧みて恵もう。わたしは彼らに目をかけてこれを恵み、彼らをこの地に返し、彼らを建てて倒さず、植えて抜かない。わたしは彼らにわたしが主であることを知る心を与えよう。彼らはわたしの民となり、わたしは彼らの神となる」

一方、「この地にいる者、ならびにエジプトの地に住んでいる者を、この悪くて食べられない悪いいちじくのようにしよう。わたしは彼らを地のもろもろの国で、忌みきらわれるものとし、またわたしの追いやるすべての所で、はずかしめに会わせ、ことわざとなり、あざけりと、のろいに会わせる。わたしはつるぎと、ききんと、疫病を彼らのうちに送って、ついに彼らをわたしが彼らとその先祖とに与えた地から絶えさせる」（エレミヤ書二四章五―一〇節）

今までの伝統的な考え方からすれば、奴隷としてバビロニアに連行された人々は、神への背信の故に、この地から断たれたのであり、この地に留まっている人々は、その忠実な信仰の故に、神から祝福されて、この地に留められたものでる。しかし、今、エレミヤにのぞんだ神の言葉は、この従来の考え方をまったく逆転させた。奴隷としてバビロニアに連行された人々こそ、イザヤのいう「残れる者」だという。かつて、出エジプトによって奴隷の身分から解放された民と神とのあいだに結ばれた契約は、民のはなはだしい背信のゆえに破棄され、今や、全く新しい契約が奴隷としてバビロニアに連行された民と神とのあいだに結ばれることになったのである。

ユダ王国の滅亡

エレミヤ書には、奴隷としてバビロンに連行された人々にエレミヤの送った手紙が収録されている。

「万軍の主、イスラエルの神は、すべて捕え移された者、すなわち、わたしがエルサレムから、バビロンに捕え移させた者に、こう言う、あなたがたは家を建てて、それに住み、畑を作ってその産物を食べよ。妻をめとって、むすこ娘を産み、また、そのむすこに嫁をめとり、娘をとつがせて、むすこ娘を産むようにせよ。その所であなたがたの数を増し、減ってはならない。わたしがあなたがたを捕え移させたところの町の平安を求め、そのために主に祈るがよい。その町が平安であれば、あなたがたも平安を得るからである」

「主はこう言われる、バビロンで七十年が満ちるならば、わたしはあなたがたを顧み、わたしの約束を果し、あなたがたをこの所に導き帰る」（エレミヤ書二九章四―七、一〇節）

遂に、バビロニア軍はもどってきて、再びエルサレムを包囲した。エレミヤは、おそれることなく、預言をくり返す。「主はこう言われる、この町にとどまる者は、つるぎや、ききんや、疫病で死ぬ。しかし出てカルデヤびとにくだる者は死を免れる。すなわちその命を自分のぶんどり物として生きることができる」。人々は激昂して、エレミヤを捕えて井戸に投げ入れたが、エレミヤは王の宦官によって救い出され、監視の庭にとどめられた。

やがて町の一角が破れ、エルサレムは落城する。ゼデキヤ王とすべての兵士は町の外に逃げたが、バビロニア軍は追いついて王を捕え、その子たちを彼の目の前で殺し、すべての貴族たちを殺し、最後に王の目をつぶして、バビロンに引いて行くために鎖につないだ。また王宮と民家を火で焼き、エルサレムの城壁を破壊した。そして、町のうちに残っている民と、降伏した者、およびその他の残っている民をバビロンに捕え移した。そして、エレミヤを監視の庭から連れ出して釈放し、もしバビロンに行くなら、丁重にもてなそう。しかし、この地にとどまりたいなら、そうしたらよいと告げた。エレミヤは、廃墟と化したエルサレムにとどまった（エレミヤ書三八―四〇章）。

バビロンの王が、この地の総督としたゲダリヤは、「カルデヤびとに仕えることを恐れるに及ばない。この地に住んでバビロンの王に仕えるならば、あなたがたは幸福になる」とさとしたが、ゼデキヤ王の高官であった人々はゲダリヤを殺し、バビロニアの報復を恐れ、いやがるエレミヤを引きずるようにしてエジプトに遁走した。それ以後のエレミヤの消息は分らない（エレミヤ書四〇―四四章）。

私は南ユダ王国の滅亡時におけるエレミヤのことを、詳しすぎるくらい記述したが、それは、捕虜として外国に捕え移されたものはヤハウェから見棄てられたものだという考え方から、外国に捕え移されたものこそがヤハウェにとって「残れる者」であるというエレミヤにおける大転換が、どのような事情の下に行なわれたかを明らかにするためであった。それは、エレミヤの比類を絶する苦しみを契機とするものであった。

ユダヤ民族の独立と民族的自立

バビロニアに捕え移された人々は、このエレミヤの大転換にはげまされて、困難な捕囚生活をたえしのんだ。現地の生活に深く根を下し、バビロニア当局との間に不要な摩擦を賢明に避け、しかも、ヤハウェの信仰に固く立ち、民族的な誇りを失わず、同化政策に強く抵抗した。このような民族は、バビロニア政府にとって目ざわりな存在であったであろう。あくまでも同化をこばみつづけたことが、結局、彼らを故国に帰らしめることになった。

国際情勢は、次第に変化していった。やがて東方からペルシア帝国が勃興して、遂にバビロニアを打ち倒した。ユダヤ人たちは、エレミヤの預言した七〇年をまたずに、五〇年にして故国に帰ることができた(前五三八年)。今日その名が伝えられていないために、ふつう、第二イザヤとよばれている預言者が、帰国のよろこびを、次のように歌っている。

「あなたがたの神は言われる、

『慰めよ、わが民を慰めよ、

ねんごろにエルサレムに語り、これに呼ばわれ、

その服役の期は終り、

そのとがはすでにゆるされ、

そのもろもろの罪のために二倍の刑罰を

主の手から受けた』」(イザヤ書四〇章一―二節)

帰還後の最大の問題は破壊された神殿を一日も早く再建することであった。バビロンを征服したクロス王の治下にユダの代官に任命されたセシバザルによって神殿の礎石が置かれたが、その後、ながい間の中断を経て、ダリウス一世の時代に神殿はようやく完成した。しかし、神殿は再

建されたけれども、予想した民族の独立は依然として達成できなかった。そして、このような政治的独立に対する願望はペルシア政府との関係を悪化する原因ともなった。さらに半世紀以上も後のエズラとネヘミヤは、充分にペルシア王国の政治的実力を認識していた。もし、民族独立という政治的な願望を抱きつづけるならば、ユダヤ民族には完全な滅亡しかないであろう。亡国の状態の下に、民族の独立ではなしに、民族の自立を望むことが、安全でもあり賢明でもある。そのためには、ユダヤ教から政治性をぬきとり、ペルシアの政権を完全に認め、その下に立つことにより、民族的に独自の発展をするべきだと考えた。つまり、ユダヤ教を過去の伝統に依拠しつつ完全な律法宗教とし、律法を厳守することによって、ユダヤ民族の自立をまもろうとしたのであった（エズラ記、ネヘミヤ記）[2]。

その後、オリエント世界は、ペルシアからギリシア、さらにローマと、目まぐるしく支配者を交替し、ユダヤ民族はマカベア王朝という短期間を除けば、念願の民族の独立を回復することは遂にできなかった。ユダヤ教は律法宗教という性格をますます強め、それによって辛うじて民族の団結を保ちつづけたのであった。

イエスの痛烈な批判

管理者の目からみると、どんな規則にも必ず抜け道があるようにおもわれる。そこで、その抜け道をふさごうとすると、規則はかぎりなく細分化されていく。

ユダヤ教における律法はモーセ五書に記されている。しかし、イエスの当時、律法は細分化されて詳細をきわめていた。そのような律法を厳重に守りうるものは（とくに外面的に）、ユダヤ民族の中でも、暇とカネを充分にもちあわせた、ごく一部のものに限定されていた。これらの人々は、とても厳重に守ることができない人々を「つみびと」として蔑視した。こうして貧乏人は、金持から、階級的、宗教的な二重の差別を受けていた。しかし、ユダヤ民族の団結という大義名分があったから、だれもこのことに反対することはできなかった。ところが、それをはっきりと批判する人があらわれた。それがイエスである。

イエスの目からみると、自分でもとうてい守りえない律法を、自分は守らずに、人々を「つみびと」として蔑視する人々は、許しがたい偽善者であった。イエスは、これらの人々を、人の集まる宮の中で、公然と非難した。

「律法学者とパリサイ人とは、モーセの座にすわっている。だから、彼らがあなたがたに言うことは、みな守って実行しなさい。しかし、彼らのすることには、ならうな。彼らは言うだけで、実行しないから。また、重い荷物をくくって人々の肩にのせるが、それを動かすために、自分では指一本も貸そうとはしない。そのすることは、すべて人に見せるためである。すなわち、彼らは経札を幅広くつくり、その衣のふさを大きくし、また、宴会の上座、会堂の上席を好み、広場であいさつされることや、人々から先生と呼ばれることを好んでいる」

（マタイによる福音書二三章二―七節）

さらに、イエスは、直接、このような人々を弾劾する、その言葉は痛烈を極める。

「偽善な律法学者、パリサイ人たちよ。あなたがたは、わざわいである。はっか、いのんど、クミンなどの薬味の十分の一を宮に納めておりながら、律法の中でもっと重要な、公平とあわれみと忠実とを見のがしている。それもしなければならないが、これも見のがしてはならない、盲目な案内者たちよ。あなたがたは、ぶよはこしているが、らくだはのみこんでいる。

偽善な律法学者、パリサイ人たちよ。あなたがたは、わざわいである。杯と皿との外側はきよめるが、内側は貪欲と放縦とで満ちている。盲目なパリサイ人よ。まず、杯の内側をきよめるがよい。そうすれば、外側も清くなるであろう。

偽善な律法学者、パリサイ人たちよ。あなたがたは、わざわいである。あなたがたは白く塗った墓に似ている。外側は美しく見えるが、内側は死人の骨や、あらゆる不潔なものでいっぱいである。このようにあなたがたも、外側は人に正しく見えるが、内側は偽善と不法でいっぱいである」（マタイによる福音書二三章二三－二八節）

一方、「つみびと」たちに対するイエスの眼は、かぎりなきやさしさに満ちている。イエスは宮で、さいせん箱にむかってすわり、群集がその箱に金を投げ入れる様子を見ておられた。多くの金持は、たくさんの金を投げ入れていた。ところが、ひとりの貧しいやもめがきて、レプタ二つを入れた。そこで、イエスは弟子たちを呼び寄せて言われた、「よく聞きなさい。あの貧しいやもめは、さいせん箱に投げ入れている人たちの中で、だれよりもたくさん入れたのだ。みんなの者はありあまる中から投げ入れたが、あの婦人はその乏しい中から、あらゆる持ち物、その生活費全部を入れたからである」（マルコによる福音書一二章四一－四四節）

イエスは、自分を義人だと自任して他人を見下げている人たちを痛烈に批判する。「ふたりの人が祈るために宮に上った。そのひとりはパリサイ人であり、もうひとりは取税人であった。パリサイ人は立って、ひとりでこう祈った、『神よ、わたしはほかの人たちのような貪欲な者、不正な者、姦淫をする者ではなく、また、この取税人のような人間でもないことを感謝します。わたしは一週に二度断食しており、全収入の十分の一をささげています』。ところが、取税人は遠く離れて立ち、目を天にむけようともしないで、胸を打ちながら言った、『神様、罪人《つみびと》のわたしをおゆるしください』と。あなたがたに言っておく。神に義とされて自分の家に帰ったのは、この取税人であって、あのパリサイ人ではなかった」（ルカによる福音書一八章一〇—一四節）

イエスは、律法学者やパリサイ人たちが、同席することを嫌悪した取税人や「つみびと」たちとも食事を共にすることを、少しもいとわれなかった。律法学者やパリサイ人たちがそのようなイエスを、非難するのを聞いて、弟子たちにいわれた、「丈夫な人には医者はいらない。いるのは病人である。わたしがきたのは、義人を招くためではなく、罪人《つみびと》を招くためである」（マルコによる福音書二章一七節）。権力者に対する痛烈な皮肉である。

民族エゴイズムからの脱却

たしかに、ユダヤ教もまた、古代オリエントの諸宗教と同じく、民族宗教であり、民族エゴイズムを内容とするものであった。しかし、そこにはまた、社会の最底辺にある最も力弱き人々に対するおもいやりを、最も重要なこととする高い倫理性をも同時にもっていた。その考えは旧約聖書に一貫している。たとえば、出エジプト記に、神の言葉として次のような言葉が記されている。

「あなたは寄留の他国人を苦しめてはならない。また、これをしえたげてはならない。あなたがたも、かつてエジプトの国で、寄留の他国人であったからである。あなたがたはすべて寡婦、または孤児を悩ましてはならない。もしあなたがたが彼らを悩まして、彼らがわたしにむかって叫ぶならば、わたしは必ずその叫びを聞くであろう。そしてわたしの怒りは燃えたち、つるぎをもってあなたがたを殺すであろう。あなたがたの妻は寡婦となり、あなたがたの子供たちは孤児となるであろう」（出エジプト記二二章二一―二四節）

当時のユダヤ社会において、寡婦と孤児と寄留の他国人は、最も力弱き人々であった。だから、この言葉は、社会において最も小さき者、最も弱き者をあわれめということにほかならない。

この言葉は、たとえば律法書として最も重要な申命記（一〇章一八―一九節、二四章一七―一八節、二六章一二―一三節、二七章一九節など）、また詩篇（一四六篇など）、さらに預言書（エレミヤ書七章五―七節など）にも記されている。

だから、イエスのいうところの「あなたがたによく言っておく。わたしの兄弟であるこれらの最も小さい者のひとりにしたのは、すなわち、わたしにしたのである」(マタイによる福音書二五章四〇節)の「最も小さい者」、また、「『心をつくし、精神をつくし、思いをつくして、主なるあなたの神を愛せよ』。これがいちばん大切な、第一のいましめである。第二もこれと同様である、『自分を愛するようにあなたの隣り人を愛せよ』。これら二つのいましめに、律法全体と預言者とが、かかっている」(マタイによる福音書二二章三七―四〇節)の「隣り人」とは、旧約聖書全体を貫く「寡婦、孤児、寄留の他国人」と直接つらなるものであり、それゆえにこそ、この二つのいましめに、律法全体と預言者とが、かかっているのである。

しかるに、イエス当時のユダヤ社会においては、これらの「最も小さい者」「隣り人」が「つみびと」として蔑視されているのをイエスはみた。「自分は律法や預言者を廃するためにきたのではなく、それを成就するためにきたのだ」(マタイによる福音書五章一七節)と言い切るイエスの確信は、自分こそ旧約聖書の伝統にはっきりと立っているという揺ぎない自信に基づくものであった。

そして、「つみびと」に出エジプト記以来の「寡婦、孤児、寄留の他国人」をみるイエスは、やがて律法そのものを批判することになる。ユダヤ教の諸律法の中でも当時、最も重要なものの一つとされていたものに、安息日の厳守があった。それは最も重要な十戒の一つであり（出エジプト記二〇章八―一一節）、その戒を破るものは「すべて死刑に処せられる」（同三五章二節）規定であった。この安息日の戒が、二〇世紀が終ろうとしているこんにちでも、なお現在のイスラエルで、厳重に守られていることは、旅行者の目撃するところである。ところが、イエスは、この戒に挑戦する。

ある安息日にイエスが会堂にはいると、片手のなえた人がいた。人々はイエスを訴えようと思って、「安息日に人をいやしても、さしつかえないか」とイエスに尋ねた。イエスは彼らに言われた、「あなたがたのうちに、一匹の羊を持っている人があるとして、もしそれが安息日に穴に落ちこんだなら、手をかけて引き上げてやらないだろうか。人は羊よりも、はるかにすぐれているではないか。だから、安息日に良いことをするのは、正しいことである」。そしてイエスは病人に、「手を伸ばしなさい」と言われた。手を伸ばすと、ほかの手のように良くなった。パリサイ人たちは出て行って、なんとかしてイエスを殺そうと相談した（マタイによる福音書一二章九―一四節）。

この瞬間に、民族エゴイズムに基づくユダヤ教と、基本的人権に基づくキリスト教とが、はっきり分離したのである。以後、ユダヤ民族の団結を守りつづけようとする当時の支配階級にとって、イエスの教えは、きわめて危険な思想であると考えられるようになっていく。冒頭に掲げた大祭司カヤパの言葉は、このことをはっきりと示している。

このとき、カヤパの前には、二つの道があった。ユダヤ教を基本的人権に基づく世界宗教の方向に発展させ、それによって新たなるユダヤ民族の団結を考えていくか、あるいは依然としてユダヤ教を民族エゴイズムの域にとどめるか。カヤパは、後者の道を選びとった。そして、このようなカヤパの選択は、以後二千年、ユダヤ民族によって固く保持されてきた。その間、ユダヤ人は国を再興することはできなかったが、民族性を失うことはなかった。そのユダヤ教の民族エゴイズムは、ユダヤ人をして諸民族の為政者から嫌悪される原因となったが、しかし彼らが支配者の地位に立つことは一度もなかったから、その民族エゴイズムが社会に「実害」を及ぼすことはなかった。しかし、こんにち、ユダヤ人が一つの独立国家をもち、支配者の地位に立つにおよんで、国内の先住民族であるアラブ人に対する露骨な差別政策として、その民族エゴイズムは顕在化している。

さて、このような選択をしたカヤパにとって、とるべき手段はただ一つ、それは一日も早くイエスを殺して、危険思想の根を断つことであった。申命記に記された律法によっても、偽預言者は必ず石をもって撃ち殺さなければならないことになっていた（申命記一三章）。現に、イエスの死の直後、イエスの言葉に従うステパノは、石をもって撃ち殺された(使徒行伝六―七章)。イエスも当然、石をもって撃ち殺してもよかったはずである。しかし、カヤパは、なぜ、そのような処置をせずに、ローマの役人に、イエスを国家反逆罪の罪名をもって告発し、ローマの役人をして十字架刑に処せしめたのか。それは、イエスに対する人々の信望があまりにも高く(支配階級の中にさえ、イエスを預言者として信じる人々があったほどである)、もし、支配階級がイエスを撃ち殺せば、自分たちに対する人々の一大反乱をひきおこす危険があったからである(たとえばマタイによる福音書二六章三―五節)。「つみびと」「隣り人」に対するイエスの、支配階級をおそれぬ深い愛に、それほど、多くの人々は感動していたのである。イエスの死後、この感動が、キリスト教を成立させた。こんにち、イエスの言葉に従おうとしている人々は、イエスが最も大切ないましめとして愛することを命じた「隣り人」とは、社会において最も力弱き人々のことであり、支配階級の意志(民族エゴイズム)に反して彼らを愛したために、イエスは殺されたことを忘れてはならない。

第二章　近代天皇制の成立

大アジア主義

二〇世紀も終ろうとしているこんにち、イスラエルと並んで、もう一つ、民族エゴイズムによって民族的団結を守ろうとしている国がある。それは日本である。

日本の近代は黒船来航（一八五三年）から始まる。以後、日米和親条約（一八五四年）、日米修好通商条約（一八五八年）と急速に開国と不平等条約を強いられる。当時の日本は、文字通り、「半植民地」の状態にあった。インドや中国の植民地化を目前に見、開国にともなう烈しいインフレに悩まされた日本人は、欧米の圧力からいかにして脱却するかを真剣に考えざるをえなかった。そこから生まれてきたものが、いわゆる「大アジア主義」であり、以後敗戦まで、経済侵略をふくめれば現在に至るまで、一貫して日本の支配的な思想でありつづけた。

大アジア主義には、二つの流れがあった。一つは共存的大アジア主義ともいうべきもので、アジアの諸民族と同等の立場で手をにぎり、共に戦うことによって、アジアから欧米の勢力を一掃しようとするものであり、もう一つは侵略的大アジア主義ともいうべきもので、アジアを日本の植民地とすることによって、アジアから欧米の勢力を一掃しようとするものである。前者は、すべての民族の人権を等しく認めようとする基本的人権の立場であり、後者は、日本民族の人権のみを認めようとする民族エゴイズムの立場である。

近代日本において、共存的大アジア主義は、ごく一部の人に信奉されただけで、とうてい、思想の主流とはなりえなかった。支配的な地位を維持したのは、侵略的大アジア主義であった。その一応の帰結が大東亜共栄圏の思想である。それには、いくつかの理由が考えられる。まず第一に、日本のインテリの先進国志向である。私は「先進国」という言葉は好きでないが、世界を先に進んだ国とおくれた国というように直線的に分け、進んだ国をつねに具体的なモデルに想定して、そこまで日本を引き上げていくのが、日本のインテリ、日本の指導者の使命だという考え方である。そして、その時々の「先進国」をできるだけよく知っている人が、日本の指導者として自他ともに認められることになる。たとえば福沢諭吉は、まだ日本人が誰も行かなかった欧米に行って実情を見聞し、欧米とくにアメリカの本を読み、日本の進むべき方向をアメリカに見出し、日本をアメリカのようにしようとした。

先進国志向と皇国思想

日本で七世紀といえば、まだ古代氏族制の段階である。ところが、隣りの中国では、氏族制の段階を千年以上も前に通過し、当時は新しい官僚制国家の段階に入っていた。中国最初の統一国家としての秦漢帝国・魏晋南北朝そして隋をへて、唐帝国の時代であり、国家体制としても、文化的にも、日本と中国のあいだには、ものすごい格差があった。

そのような中国の影響というか刺戟によって、日本にも中国のような官僚制国家、いちばん上に天子がおり、その下にさまざまの官僚がいて、隅々まで国を支配する、そういう体制にしなければならないと、当時の日本の支配階級は考えた。

そのために、秀才を選りすぐって官費で中国に留学させた。それを乗せていったのが遣唐船である。東シナ海はよく荒れて船が沈む。四隻のうち二隻が中国にたどりつけばいいほうであった。中国で何年間か勉強して日本に帰れば、たちまち立身出世するが、途中で死ぬことも覚悟しなければならない。だから送別会を開いて、天皇が出席して、じきじきに激励する。そのときの歌が万葉集にたくさん残っている。しかし、せっかく選ばれながら、やめた人もいた。

このようにして、日本は唐の制度を取り入れたけれども、それに二つの点で大きな修正をくわえた。一つは、中国の天子を日本の天皇に代えたことである。中国では、いちばん人格の高潔な人が天の意志をよく伝えて国を治めるということから、天子はあくまでも人間である。だから、現在の天子よりも、もっと人格のすぐれた人が出てくれば交替もする。ちょうどテレビの受像機のようなもので、映りが悪くなれば、映りのよいものに取り替える。これが中国における易姓革命の思想である。

ところが七世紀の日本は、まだ氏族制の末期だから、よほど強力なおさえがその上にのっていないと官僚制が保てない。そこで考え出したのが、人間であって神である現人神としての天皇である。天皇は天照大神という神の子孫だという。中国の天子どころではない、宇宙最高の権威である。天皇は日本に昔からあったものではなくて、七世紀に政治的につくられたフィクションなのである。それが、敗戦の翌年の正月、天皇みずから否定するまで、千数百年もつづいてきた。

それが一点。

もう一つは、官僚制につきものの試験制度を導入しなかったことである。氏族制と官僚制とをドッキングさせて、いちばん勢力のつよい氏族の長を太政大臣（今でいう総理大臣）にし、以下、その勢力に従って順次、低い官僚とし、それをすべて世襲化した。そういう二つの点で大きな修正を加えて、唐の官僚制を日本に導入した。

それ以後も、明治になるまで、日本は中国を「先進国」と考えつづけた。中国の文化をたえず勉強し、それをよく知っているものが日本のインテリ、指導者ということになった。政治的な指導者というものは、ただたんに武力が強いだけではなく、一般の大衆よりも文化的に高くなければならない。幕末・明治維新以後、中国の国力が衰え、西洋が進出してくる。そこで先進国を中国からイギリスに置き換える。さらに、フランス、ドイツがそれに加わり、戦後はアメリカに変ってきた。けれども日本のインテリの先進国志向そのものは少しも変らない。幕末・明治初年、欧米の与えた枠組み（アジアの植民地化と分断支配）の中で、日本の植民地化の危機を解消しようとしたのも、日本インテリの伝統的な先進国志向によるものであった。

もう一つは、日本人本来の力に対する賞讃の意識である。たんなるゲームでさえも、日本に入ると「段」が設けられ、段の昇落を争って血眼になる。そして最高の段の所有者は「名人」として、日本人全体から大きな尊敬を受ける。それが、強者である欧米を賞讃し、弱者であったアジア諸国を日本人が軽視したもう一つの理由である。

こうして明治以後、日本のインテリは西洋を賞讃し、西洋に追随し、西洋メガネをかけて指導者ずらをした。西洋メガネをかけると、自分がアジア人であることを忘れ、自分を西洋の一員、準白人だと思いこむ。そして、白人と並んで、有色人種に対する侮辱感を共にするようになる。さらに悪いことに、西洋人がほんのわずかでももっていたキリスト教に基づく人権尊重の意識さえ、日本人はもたなかった。

それには日本人のもっている民族エゴイズムが深くからんでいる。日本は神国だ、日本民族は神によって選ばれた民族だと考えた、いわゆる皇国思想である。それは裏を返せばアジア人蔑視の思想である。皇国思想と欧米の帝国主義思想が結びついて、侵略的大アジア主義を形成した。

戸籍制度

一八六八年、徳川幕府が倒れて、東京に中央政府ができた。幕末以来の国際的危機意識が、日本に国民国家を生み出したのである。しかし、まだ「日本国民」は存在しなかったから、東京政府にとっての最も重要な、そして最も緊急な課題は、一日も早く「日本国民」を創り出すことであった。徳川時代は約二五〇年つづいたが、その間、日本にはたくさんの藩（クニ）があって、互いにいがみあっていた。徳川幕府は、それを解消しようと努力するどころか、逆に助長し温存し、それによって日本全国を支配した。だから幕府が倒れても、二五〇年もつづいた地方ごとのいがみあいは、一朝一夕にはなくならなかった。しかし、それがなくならなければ、「日本国民」というものもまたありえない。

東京政府は「日本国民」を創るために、徳川時代に全国的にあった氏子制度を利用しようと考えた。氏子制度というものは、古代氏族制に起源をもつ極めて古い制度で、徳川時代には、各地域は氏神を中心にして強く団結していた。氏子どうしは非常に強く団結する反面、氏子の外の人は、非常に強く排除する。

たとえば、徳川時代に、稲に病気が出る。植物病理学が発達しているわけではないから、当時の人々は稲に悪い虫がついたと考えた。その悪い虫を追い払えば、稲の病気は治ると考えた。そこで人々がやったのが「虫送り」である。村の人が一列にならんで、鉦や太鼓をたたいて村はずれまで行く。村はずれまで行って、これで悪い虫はとなりの村へ送った、自分の村の稲は病気を免れたと思った。自分の村だけよければいい。となりの村はどうなってもいい。氏子制度の本質は、この「虫送り」の精神である。氏子エゴイズムといえよう。

これを東京政府は利用した。まず一八七一年に二つの法律をつくった。一つは戸籍法（四月四日太政官布告一七〇号）、もう一つは郷社定則（七月四日太政官布告三二二号）。この二つはペアーになっている。戸籍法は（戸主制度はなくなったが）いまでもある。私たち日本人は、日本中のどこかに戸籍（本籍）をおき、生まれて一〇日以内に役所に登録しなければならない。本籍地以外に住んでいても、必ず本籍に届けなければならない。この制度は世界中で日本だけにあり、ほかにあるとすれば韓国と台湾にある。それは日本の植民地時代に日本の戸籍法が導入されたためである。朝鮮民主主義人民共和国は独立後、間もなく、それを廃止した。日本の戸籍は一つの家族をまとめて記録するが、アメリカなどでは、子供が生まれたときの届け、結婚したときの届け、みなバラバラである。だから欧米には「本籍」というものはないし、本籍に当る言葉もない。

戸籍制度は、国家権力が統治の目的のために人々を把握するための制度である。一八七一年に制定されてから、日本社会そのものの変化にともなって、戸籍制度も大きく変化したが、その変化のなかにも、基本的に変らなかった部分がある。それは、次の二点である。

(一)「戸」を単位として戸籍を編成するという構造上の原理。

「戸」は、民法でいう「家」と同じで、それは戸籍法的な表現である。戸の中心人物を「戸主」とよび、戸主は外にたいしては戸を代表し、内にたいしては戸内の人員、すなわち家族員を統轄する権限をもっている。戸籍は戸主名で表示され、死亡や隠居などで戸主が変れば、戸籍は書き改められる。このように戸籍に表示される人の集団が「戸」であり、「戸」をはなれて個人は存在しえない。

(二)戸籍上の届出によって、隠居、婚姻、離婚、離縁など、身分が変動するという原理。届出はきわめて簡単で、欧米のように儀式や宣誓などを必要としない。それだけ、戸主の家族員に対する権限が、欧米にくらべて強大であるともいえる。家族員の結婚、離婚、分家など、すべて戸主の統率下におかれていた。

戸籍法は、徳川時代の宗門人別改とは異なり（当時は武士や僧侶には戸籍がなかった）、全国を通じて統一的な戸籍を編成し、これを中央政府の手に集中掌握することによって、人民一般を戸主を通じて中央集権的に服属させることを目的としていた。

全国にわたる統一戸籍編成の事業は一八七二年中に遂行された（この年の干支が壬申であったので、一般に壬申戸籍とよばれている）。

中央政府は全国統一の戸籍制度によって、人民すべてを「国民」として、その制度の網のなかに組み込むことに成功したのである。同時に、「戸」を単位とする戸籍編成により、一定の家族倫理によって秩序づけられた「家」制度を確立した。それは天皇制の末端機構として、まことにふさわしいものであった(ただし、敗戦とともに、戸主制度は廃止された)。

郷社定則

壬申戸籍には、各戸に「氏神某社、某宗某寺」の記載が要求された。これは同一八七一年七月四日に太政官から公布された氏子調規則に応じて、社寺による統制を企てたものである。福島正夫、利谷信義はいう、「氏子調規則は同日布告の郷社定則と応じて神社統制を企てたものである。『郷社ハ凡戸籍一区ニ一社ヲ定額トス』とする戸籍との関連に注意せねばならぬ。寺の記載は単に遺制であろう(3)」

中央集権的統一をおしすすめた明治政府は、それの支柱となるイデオロギーとして、神道を基礎として国家形成をはじめた。一八六八年「王政復古、祭政一致」をかかげて神祇官をおき、神仏を分離して、徳川体制の末端機構であり国教的地位にあった仏教を排して、神社の主体性を確立し、宮城内に宮中三殿を置いて日本中の神社の総本山とし、天皇を大祭司に、宮中祭祀を全神社祭祀の基準として、神社神道と皇室神道を統合し、国家神道とした。

一八七〇年、大教を宣布し、翌一八七一年「神社ノ儀ハ国家ノ宗祀」と規定して神官を任命制とし、社寺領知令で全社寺領を官収して、禄制を新たに定め、国家の統制下においた。そして上記のように氏子調規則と郷社定則を発布し、人民をすべてその地域の鎮守である神社と結びつけ、地域的信仰をとりこみ、国家神道・天皇制イデオロギーを結合し注入する拠点とした。郷社定則によって全国の神社は官社（官、国幣社）、府県社、郷社、村社と格づけされ、指定外は無格社とよばれ、全国一二万余の神社は伊勢神宮を頂点として序列化され、末端まで中央集権的に編成され、地方自治体運営の政治的手段ともされた(4)（なお、官幣社は皇室の崇敬の厚い神社、国幣社は主として地方崇敬の中心となる神社、府県社は府県崇敬の中心となる神社、郷社は郷邑の産土神である）。

郷社定則について、さらに説明をしよう。その趣旨は、戸籍法による戸籍制度に関連する。この制度は、上記のように、人民を封建制度の緊縛から解放すると同時に、自由に放置することなく創設された「家」制度を通じて人民を新権力と結びつけようとするものであった。とくに、居住する地域の鎮守である神社と結びつけ、地域的拘束を通して国家神道的イデオロギーと結びつけようとしたのである。

徳川時代における地方体制の中心は封建的村落共同体であった。明治政府の地方政策の基本方針は、このような共同体である旧村をいかにして解体再編成するかにあった。その最重要な方法が、旧村をこえる広い地域に戸籍区を設け、これを行政組織とすることであり、ついで、これを新しい市町村に組織がえすることであった。郷社定則が一戸籍区一郷社の制を定めたことも、この政策によるものである。

封建的村落共同体は、その共同体的結合のシンボルとして、大体において、それぞれ鎮守の社をもっていた。それは、各共同体が相互に独立した存在であったことと関連して、鎮守の社も相互に独立した存在であった。ところが、明治政府は、中央集権的制度をおしすすめるためには、鎮守の社の独立を否定し、一戸籍区内の数社の上に一つの郷社を設定し、他を村社としてそれに付属させた。つまり、神社を地方行政組織の単位に対応した形に再編成し、それにより地域社会(当時の村)を基底とした人民を掌握する制度の基礎としたのである。

もちろん、数村社の上に一つの郷社をおくといっても、郷社以外の村社を直ちに廃止することは困難であったから、実際には、一市町村に郷社が数個おかれる例や、逆に一つも郷社の存しない例も、きわめて多かった。したがって、以後、そのような実態を一市町村一社の理想型に近づ

表1　町村数と村社数

年		町村数	村社数	無格社数	備考
明治	24	15,017	52,410	136,652	
	29	14,783	52,423	135,459	
	33	14,011	54,045	138,287	村社数最高
	36	13,472	52,133	139,947	無格社数最高
	40	12,724	51,052	121,474	
	45	12,313	46,117	76,751	
大正	6	12,199	45,248	68,218	
	11	12,096	45,029	65,132	
昭和	2	11,764	44,924	62,883	
	7	11,662	44,860	61,500	
	12	11,275	44,838	60,703	

「日本帝国統計年鑑」(千葉正士「一市町村一神社の理念と総鎮守の制」『社会と伝承』8巻1号，1964年より引用)

ける努力がつづけられた。

そのための行政的方法としては、市町村の区域内にある村社のうち、できるだけ少数を選んで、市町村に神饌幣帛料（神主の給料等をふくめ神社のすべての維持費）を供進する義務を地方長官より指定することであった。供進の機会は、恒例の大祭である祈年・新嘗・例の三祭と、臨時の大祭である本殿遷座祭であった。金額は例祭と本殿遷座祭が、祈年祭や新嘗祭よりも高い（一九三二年で、前者が二五円、後者が一五円）。この供進の事務は、法律上いわゆる国の委任事務であって、国庫に代って市町村が行なうものとされた。

市町村長は幣帛供進使として右の機会に神社に参向する義務があった。さらに、場合によっては、市町村長が、地方長官の委任により、地方長官の参向すべき府県社、郷社、指定護国神社に参向することもあった。その他、市町村長の任意に行ないうる権限に基づくものとして、市町村（府県も同様）が神社の経常・臨時の経費に供するために行なう寄付の供進があった。

郷社定則は一市町村一神社を立前とし、また行政はそのような方向に努力をつづけたが、結局、**表1**に示すように、一町村平均ほぼ四社となり、その上、数個の無格社が残存することになった。実際には一町村一神社の例はむしろ少数で、したがってその内の一社を市町村唯一の総鎮守と定め、市町村運営の中心とされた。

市町村が、その管内に総鎮守を定めるについて、数社が争っているため、いずれにも決定しかね、結局、「両鎮守」あつかいにし、小学校の生徒も二組に分けて、各々の神社に参拝させるという例もある。また地形上、たとえば両部落が遠くはなれているため、市町村は各社の対立を放棄して両鎮守を設定した場合もある。要するに、それは、一市町村内に、あきらかに優越する一つの神社あるいは部落が存在せず、また、それらの神社や部落の対立を解消して全市町村の統一をしなければならぬ地理的、経済的、社会的必要性が客観的に欠けている場合、そして各神社がその氏子区域である村落共同体によって強く支えられている場合である(5)。

郷社定則に定められた一市町村一神社制は全国的にみればむしろ例外的で、大部分は二重氏子制（小社の氏子が同時に総鎮守の氏子になる制度）を利用した総鎮守制であった。このことは、なにを意味するか。上述のように、氏子制というものは、本来、氏子内部での強い団結と、氏子外部への強い排除とを特徴とする。二重氏子制は、このような団結性と排除性とを巧みに融和させるためのものであった。そして、日本全国の総鎮守としての伊勢神宮に、日本全国の鎮守を統合させることになった。これによって明治政府が求めたものは、氏子制のもつ団結性をそこなうことなく、それを全国的に拡大すること、つまり日本人すべてを一つの氏子集団として統合し、その頂点に伊勢神宮つまり天皇への崇拝を置くということであった（今日でも氏子制度はあるが、郷社定則が敗戦とともに廃止されたため、たとえ氏子にならなくとも、もはや法的に罰せられることはない）。

近代天皇制の成立

明治政府の末端機構とされた市町村には、市町村民を一日も早く封建的束縛から解放し、国民国家の一員としてふさわしいものに創り変えるための近代化をすすめると同時に、また皇民化、臣民化の教化目的が課されていた。その目的は、学校教育とくに小学校教育によって追求された。明治維新早々、戸籍法や郷社定則の制定された翌年、早くも学区制度により小学校制度が全国的に実施されたことは、教育面において、国家権力を国内の末端にまで浸透させるための機構を整備していった一連の政策の一環であった。千葉正士は、これについて、次のようにいっている。

「新戸籍制度は、それまで封建的社会体制ないし封建的権力によって把握されていた人民を、新政府が直接把握する途を与えた。軍備の充実と徴兵制度は、国内の反政府的諸権力の抑圧と西欧資本主義諸国の侵攻に対する防衛とを可能にさせるためにも不可欠だった。それらは、たしかに、新政権が存続するためには、対内的にも対外的にも焦眉の急とされた緊急の課題にこたえようとするものであった。だがさらに、それとの円滑かつ効果的な遂行を保障するには、実は前提として、在来の封建的な知識に停滞し、その思想にとじこめられていた、そして、そのままにしておくならば、新時代への適応はおろか新政権を支持することも期待できなくなるような国民に、あたらしい知識と思想を授けること、むしろ、封建的人間を新政権の支持者にふさわしい人間に改造することが不可欠な要請であった。これが、以上諸改革の草々の間にもかかわらず、明治五年に早くも学制により小学校制度があたらしく全国的に実施されることになった根本的な理由であった(6)」

このような一般人民に対する教化目的は、学校教育、とくに小学校教育によって追求されたが、その対象からはずれた成人に対して、市町村を通じて行なわれた教化運動の中心が神社制度だったのである。

このような教化の最も重要な内容は、当時、一般の人民になじみのうすかった天皇の存在を強く印象づけることであった。天皇は、長い徳川時代を通じて、幕府の定めた公家諸法度によって、日常の行動から服装のこと、官位昇進のことなど、すべて厳重に幕府によって支配された。しかし、天皇は幕府をすべての領主の上に位置づける権威として必要であったから、それを領主や人民から隔離し、神秘化した。したがって、一般人民にとって、天皇は全くなじみのうすい存在であった。

一八六八年三月、新政府の九州鎮撫総督が管内の人民に発した諭書には、「此日本と云う御国には、天照皇太神宮様から御つぎ遊ばされたところの天子さまと云うものがござって、是が昔からちっとも変ったことのない日本国の御主人様じゃ。ところが七、八百年も昔から乱世がつづき、色々の世の中には北条じゃの足利じゃのと云う人が出て来て、終には天子さまの御支配遊ばされた所を皆奪い取り己が物にしたれども、天子さまと云うものは、色々御難儀遊ばされながら今日まで御血統が絶えず、どこまでも違い無き事じゃ。何と恐れ入ったことじゃないか」と、天子様というものを人民に紹介し、おしつけねばならなかった。まして人民は天子様の御恩などは毛頭知らなかった。千年以上も皇室のひざもとの京都市民さえ、王政復古当時、「我々は天皇から一銭の御救いを受けたこともなく少しの御厄介になったこともなく、自分の働きで自分の世渡りをし、さらに御恩をこうむった覚えなし」というのに対して、京都府庁は、「考えても見よ、日本は天子様の御先祖様が開きたまうた国で、日本にあるものは悉く天子様のもの、生れた時から天子様の水で洗われ、死ねば天子様の土地に葬られ云々」と天子様の御恩をこじつけねばならなかった。

一方、徳川慶喜が江戸城を明け渡し江戸以西がほぼ新政府の支配下に入った一八六八年四月二一日、政体書を発布して新政府の組織を改め、総裁を輔相とし、輔相は天皇を輔佐するものとの明文をかかげ、立法・司法・行政の諸官職制および一等から九等までの官吏の等級とその任用法を定め、同時に、これまで天皇は幼年のために日常政務に関係せず、後宮で女官を相手に暮していたが、今後は毎日、政庁に出て政務をとり、なお学問武芸の修業をする旨を布告した。天皇制はここにはじめて政府の組織および政務を行なう形式の中に成文の法として明らかにせられた。(7)

大日本帝国憲法

このようにして形成されてきた天皇制が、一応の完成に至るのが、一八八九年二月一一日に制定された大日本帝国憲法であり、その端的な表現が第一条「大日本帝国ハ万世一系ノ天皇之ヲ統治ス」、第三条「天皇ハ神聖ニシテ侵スヘカラス」であった。

そして、第四条によって、天皇が日本国の元首である地位を確定した。では、なぜ、天皇は日本の元首なのか。そもそも、その根拠はどこにあったのか。

結論をはじめにいえば、神の意志によってである（この意味で、神勅主義といわれている）。ここに神というのは、天皇の祖先とされる神々のこと、とくに天照大神のことである。したがって、天皇の地位は、その祖先の意志に基づくともいうこともできるし、天皇はその祖先の意志を自己の意志とするから、天皇みずからの意志に基づくともいうことができる。いずれにしても、人民の意志によるのではない。天皇の地位が人民の意志に基づくというようなことは、およそ考えられなかったことである。右の神勅主義は、建国の伝説にも、明治憲法の規定にも、はっきりとあられている。

すなわち、建国の伝説によれば、天照大神が孫のニニギノミコトに対して、「豊葦原の瑞穂の国は、これわが子孫の王たるべき地なり。なんじ皇孫行きてこれを治むべし」といい、ニニギノミコトを日本に降して、その王にしたということが根拠になっている。天皇は、そのニニギノミコトの「万世一系ノ」子孫であるから、天皇が日本の君主となり、日本を統治することは、天照大神の意志によるものなのである。

明治憲法とそれに関する公の文書は、くりかえし、天皇の地位が神勅に基づくことを述べている。まず、憲法の「上諭」において、「朕祖宗の遺烈を受け、万世一系の帝位を践み」といい、「国家統治の大権は朕がこれを祖宗に承けて、これを子孫に伝うる所なり」といっている。はじめの文章は、天皇が祖先の遺烈によって天皇の地位についたことを述べたものであり、後の文章は、国家統治の大権を天皇は祖先から受けついだこと、つまり祖先から与えられ、祖先の意志に基づいて有することを述べたものである。

憲法の発布に関する「勅語」のうちにも、「朕が祖宗に承くるの大権に依り、現在及び将来の臣民に対し、この不磨の大典を宣布す」という言葉がある。ここにも、天皇が主権を祖先から与えられたことが明白に述べられ、その主権によって憲法を制定し、宣布するものであるとされている。

憲法の「告文」にも、「ここに皇室典範及び憲法を制定す。おもうに、これみな皇祖皇宗の後裔に貽したまえる統治の洪範を紹述するに外ならず」とある。憲法は天皇の祖先が定めた統治の大原則を述べたものにほかならないというのである。したがって天皇が主権者であることは、明治憲法によってはじめて定められたものではなしに、「告文」にもいうように、もともと天皇の祖先が定めたものであり、明治憲法を定めた天皇は、それをそのまま受けついで明文化したにすぎないとされた(8)。

天皇の主権とは、せんじつめれば天照大神の神勅によるということになる。したがって、天照大神の存在を疑うことは、天皇の主権を疑うことになる。日本神話の科学的研究は厳重に禁止された。最も重要な国の主権の根拠の科学的研究がタブーだということは、すなわち民主主義の根本である言論の自由を否定するものである。さらに、そのような神話タブーと氏子制度を補強するものとして、国家神道・神社が整備された。しかし、憲法に規定された信教の自由に抵触しないように、国家神道は、仏教やキリスト教のような「宗教」ではないものとされた。

こうした言論の自由も信教の自由もない大日本帝国憲法によって成立した近代日本は、近代国家というにはほど遠い特殊な宗教国家であった。しかし、「天照皇太神宮様」を日本全体の総鎮守とし、「天照皇太神宮様から御つぎ遊ばされたところの天子さま」を日本全体の大祭司とし、日本民族を一個の氏子集団とすることによって、政府は速急に「日本国民」を創り上げることに成功したのであった。そのことは、日本人に、「神聖」なる天皇の下に団結する「神聖」なる国民としての選民（皇国臣民）意識をもたせることになり、他民族（とくに近隣の中国、朝鮮民族）に対する差別を正当化し、民族エゴイズムを肯定させることになった。それ故、大日本帝国憲法によって創り上げられた天皇制の精神は、民族エゴイズムそのものであったということができる。民族エゴイズムによる国民的統合、それが、以後、敗戦直後の数年間を除き、今日に至るまで日本政府の基本方針となった。

第三章　日本政府の皇民化政策

「日の丸」の由来

明治政府は、このような天皇制をさらに補強するものとして、憲法発布の翌年、教育勅語を発布し、さらにその翌年、文部省令としてだされた「祝日大祭日儀式規程」によって、「日の丸」の掲揚と「君が代」の斉唱が、小学校の儀式と直接結びつけられた。以後、祝日には必ず「日の丸」が掲揚され、教育勅語がよまれ、「君が代」が斉唱されることによって、皇民化、臣民化が促進された。

「日の丸」は日本では古くから使われた。しかし、国家として、何らかの国のしるしが必要になってきたのは、幕末の開国以後のことである。ペリー艦隊帰帆後の一八五四年八月二日、今後、海上で外国船と遭遇することを予想し、大型船には「白地に日の丸の幟」を使うことが幕府によって指示された。以後、大型商船にはこの旗が掲揚されるようになり、明治政府も、これを引きつぐ形で、一八七〇年、大政官布告により制定された。政府は、その数年後から、商船と陸海軍に限らず、祝祭日には官公庁だけでなく、一般家庭でも「日の丸」を掲げるよう府県に通達を出した。しかし、「日の丸」を国旗とするというはっきりした方針があったわけではない。

法律ではじめて「日本の国旗」という文言が使用されたのは一八九九年の船舶法においてである。その第二条に「日本船舶ニ非ザレバ日本ノ国旗ヲ掲グルコトヲ得ズ」と規定されたが、その国旗が「日の丸」であるとの明示はしていない。

ついで一九二四年、政府は次官会議決定「国旗掲揚ニ関スル件」によって、次のように国旗掲揚の意義を示した。「案ズルニ国旗ハ国家ノ表章トシテ最モ敬意ヲ表スベキモノナリ、国家的祝祭日ニ当リ官庁率先シテ国旗ヲ掲揚シ民間各戸又之ヲ掲グルニ於テハ、国家的意義ヲ闡明シ国民精神統一ノ一助タラシムルコトヲ得ン」

しかし戦前、戦後を通じ「日の丸」が国旗として正式に法律で定められたことは一度もない。一九三一年、第五九回帝国議会に大日本帝国国旗法案が上程され、そこには国旗の制式（縦は横の三分の二、日章の円径は縦径の五分の三、など）や国旗掲揚日、国旗の取り扱いなどが規定されていた。しかし、これは貴族院で廃案となり、以後も立法措置はない。

では、このように立法措置のない「日の丸」を、現政府はどうみてるか。一九八八年三月一五日の参議院予算委員会で、日本共産党の佐藤明夫氏の、「総理、現在国歌を君が代とし、国旗を日の丸とする法律上の定めはございませんね」という質問に対し、味村法制局長は、上記の一八七〇年の太政官布告商船規則をひき、こう答えている。「ただ、その商船規則の規定は、これは日本船舶に掲げる国旗だけについての規定でございまして、国旗一般についての規定というのはないわけでございます。それで国旗が日の丸だということについての一般的な規定はございません。（中略）したがいまして、日の丸は我が国の国旗であるということは、言ってみれば慣習法となっているというように考えている次第でございます」

次に「君が代」についても、同じ一九八八年三月一五日の佐藤氏に対する答弁で、味村長官は、「日の丸」と全く同じく、「君が代」を国歌とするという立法措置はないが、「君が代が国歌であるということは国民的確信になっているというように考えております」といっている。慣習法といい国民的確信といい、全く客観性のない恣意的な判断にすぎない。

「君が代」の由来

「君が代」の最初のきっかけは、一八六九年、のちの元帥、陸軍大臣で当時、薩摩砲兵隊長であった大山巌が、イギリス公使館護衛歩兵隊軍楽長フェントンから、儀礼音楽としての国歌を制定すべきであるとの建議をうけたことである。フェントンは、「ヨーロッパ各国には国歌なるものがあり、外国の軍艦が入港してきたときには、それぞれの国歌を演奏するならわしがある。日本にそれがないのは残念だ。私が作曲してあげるから歌詞を出して下さい」というような意味のことを伝えた。

大山はこれに賛同し、彼が愛唱していた琵琶曲「蓬萊山」から「君が代」を選定してフェントンにわたした。これをうけとったフェントンが、日本的旋法をも考慮しながら五音階の「君が代」を作曲した。

しかし、これがただちに国歌になったわけではなく、主として海軍で天皇を奉祝する歌として使用されるにとどまった。フェントンは日本語をほとんど知らなかったので、この曲は、ことばとメロディーとがほとんどあっていなかった。この曲は七年後の一八七六年に廃止された。同年、海軍軍楽隊長中村祐庸は、海軍省あてに提出した改訂見込書のなかで、「宮中ニ於テ詠謳セラル、音節ニ協合セシムルヲ以テ改正ノ正鵠トナスベシ」とした。そこで海軍省は宮内省へ作曲を依頼し、宮内省式部寮雅楽課で、一八八〇年、ドイツ人音楽教師エッケルトの参加も得て、伶人たちの協力により壱越調律旋の「君が代」を作曲した。これが現在も残っている「君が代」である。

しかし、この曲が、一八八〇年にただちに国歌として制定されたという説には、なんらの根拠もない。一八九一年一〇月、文部省は、東京音楽学校長村岡範為馳を委員長とする祝日大祭日歌詞及楽譜審査委員会を発足させた。そして一八九三年八月、祝日大祭日唱歌として、八曲の内の一曲として「君が代」が選定され、官報付録として発表された。

こうして文部省は「君が代」を、まず祝日大祭日唱歌として公式にとりあげた。これによって天皇への忠誠をもった人間を育てようとしたのである。(9)

朝鮮総督府の教育政策

こうして立法措置を遂に行なわないまま、教育勅語をふくめて「日の丸」「君が代」の三点セットが小・中学校の学校儀式において、児童、生徒の皇民化にいかに威力を発揮したかは、とくに、植民地朝鮮において明瞭に知ることができる。日韓併合の翌一九一一年八月、「朝鮮教育令」が公布されたが、その実施に際して、寺内朝鮮総督は、「帝国教育の大本は夙に教育に関する勅語に明示せらる所、之を国体に原ね之を歴史に徴し確乎として動かすべからず、朝鮮教育の本義此に在り、惟うに、朝鮮は未だ内地と事情の同じからざるものあり、是を以て其の教育は特に力を徳性の涵養と国語の普及とに致し、以て帝国臣民たる資質と品性とを具えしめむことを要す」という諭告をおこなった（なお、右の文中「国語」とあるのは朝鮮語ではなしに、日本語を指している）。「朝鮮教育令」（一九一一年八月、勅令第二二九号）の主要な各文は次の通りである。

第一条　朝鮮に於ける朝鮮人の教育は本令に依る

第二条　教育は教育に関する勅語の旨趣に基き忠良なる国民を育成することを本義とす

この「教育令」によって明らかなように、朝鮮人教育は、天皇に忠良なる日本国民を育成することにあった。[10] さらに一九三七年、中国侵略の本格化とともに、戦時体制を強化するため、従来の普通学校、高等普通学校、女子高等普通学校の名称を日本と同じく小学校、中学校、高等女学校とし、教科書も年限も日本と同じにし、朝鮮語の使用を一切禁止し、教育令も改め、小学校規定の第一条に「忠良ナル皇国臣民ヲ育成スルニ力ムベキモノトス」と、一層露骨に皇民化教育をおしすすめた。[11]「忠良ナル皇国臣民」とは、疑うことなく日本人の民族エゴイズムを肯定する者の謂にほかならない。英仏米など、いずれも残酷な植民地支配を行なったが、日本のそれは、被支配民族をただたんに肉体のみならず、その魂までも奴隷化しようとするものであった。そして、その同化政策の根底にすえられたものが教育政策であり、小・中・女学校においては祝祭日ごとに「日の丸」が掲揚され、教育勅語が読み聞かされ、「君が代」が斉唱された。このことがわかってくると、戦前、日本の小・中・女学校においても、同じく祝祭日ごとに「日の丸」「君が代」教育勅語の三点セットのおしつけが、「忠良ナル皇国臣民」の育成を目的としていたことが明瞭になる。

同化政策とは、朝鮮人が朝鮮人であるという意識をすて、日本人になることを理想とする政策であった。その政策は植民地支配を通じて終始一貫変らなかったが、とくに三・一独立運動（一九一九年）のあとでは、朝鮮人の民族意識をおさえるために積極的に遂行された。三・一独立運動の直後（一九一九年八月一九日）、天皇の詔書が出されたが、その冒頭に、次のように述べられている。「朕夙に朝鮮の康寧を以て念と為し、其の民衆を愛撫すること一視同仁、朕が臣民として秋毫の差異あることなく、各其の生に聊し、均しく体明の決を享けしめんことを期せり」

この詔書が出た同じ日に、首相原敬も声明書を発表し、「朝鮮は日本の版図にして属邦にあらず、また植民地にあらず、即ち日本の延長なり」といい、また同じ頃、朝鮮総督長谷川好道も、「朝鮮は即ち帝国の版図にして其の属邦にあらず、朝鮮人は即ち帝国臣民にして内地人と何等差別あるにあらず、随って朝鮮の統治、また夙に同化の方針に基き、一視同仁の大義に則り、敢て偏視無きを期せり」といった。

これらの詔書や声明書にみられる意識は、日本人による一方的な、日本と朝鮮との一体視であり、朝鮮民族の否定である。朝鮮は属国でなく、朝鮮人は被支配民族でなく、したがって朝鮮は植民地でもないという。その根拠は、朝鮮は日本の版図であり、朝鮮人は帝国臣民だという理由による。いいかえると、朝鮮は日本の延長であるから、日本に隷属するわけがないというのである。朝鮮という独自のものを否定し、朝鮮を一切日本に吸収することによって、両者の対立・差別をなくそうとする意識である。いいかえると、相手の存在そのものを一切否定することによって、一体になろうという考えである。それが一視同仁であり、同化であった。

朝鮮総督府の同化政策

この方針は、朝鮮の独自の存在を尊重した上で朝鮮と提携することとは勿論ちがう。日本を支配者、朝鮮を服従者とみなし、両者のあいだに一線をひいて、支配・服従の関係を明白にすることともちがう。相手の存在そのものをなくすことによって、支配・服従の対立関係をなくそうとするのである。

この方針が具体的にあらわれると、朝鮮人の伝統的な風俗・習慣・言語の無視、朝鮮人の民族意識・民族運動の否定、日本式の風習や日本語の強要、日本人意識（天皇崇拝、神社参拝など）の強制、さらには戦争への「日本人」としての動員ということになる。同化政策は戦争中に「皇民化」運動に発展したが、これは同化政策の当然の到達点であった。その皇民化運動では、「皇国臣民の誓詞」というものの朗誦が行なわれた。小学校では、「私共は大日本帝国の臣民でありま す。私共は心を合せて天皇陛下に忠義を尽します、私共は忍苦鍛錬して立派な強い国民となります」という誓詞が、また中学校以上の学校や一般朝鮮人の集会では、「我等は皇国臣民なり、忠誠以て君国に報ぜん、云々」という誓詞が唱えさせられた。朝鮮語は学校や集会で使うことが禁止され、そこでは日本語の使用が強制された。宮城遥拝や神社参拝も強制された。さらに朝鮮人の姓名を日本式のものに改めることが強要された。伝統的な白衣の着用も禁止された。いまから考えると正気とは思われないことが、堂々と強行されたのである。そして、さらに朝鮮人の徴用・徴兵が行なわれ、「日本人」の一員として戦時動員の対象にされた。朝鮮人を日本人に同化する基本政策からすると、こういうことは何等不当ではなく、極めて当然かつ自然のことであった。

同化政策は朝鮮人を日本人化する政策であったが、それは朝鮮人に日本人なみの生活を保障し、日本人なみの権利を与えることではなかった。当時、日本の民衆の生活も低かったが、朝鮮人の生活はそれよりも一段と劣悪であった。日本人にも人権は保障されていなかったが、朝鮮人の場合には一層ひどいものであった。日本人には与えられた参政権さえも朝鮮人には与えられなかった。日本人化するというのは、結局のところ、朝鮮人から民族意識をぬき去り、日本の支配に従順に服する人間をつくり出すのがねらいであった。しかし、もとより同化政策によって朝鮮人の民族意識をとりさるのは不可能であった。一部少数のものを除いては日本の支配に反対した。三・一独立運動はそのあらわれであった。その後においても、労働運動・農民運動・学生運動などは、つねに民族の独立・解放の運動として展開された。日本の植民地支配は、たえずそういう運動におびやかされていた。

同化政策は、日本人の朝鮮人観の形成に重大な影響を与えた。第一に、朝鮮人を独自の民族あるいは外国人とは考えない意識を育てた。同化政策では、朝鮮人は日本人であり、すくなくとも日本人になるべきものと考えられた。そこには朝鮮人を独自の存在、価値ある存在とみる意識はなかった。第二に、朝鮮の植民地的支配に対する日本人としての責任感あるいは罪悪感の欠乏を招いた。朝鮮人の民族的存在に対する否定は、劣等な地位にあった朝鮮人を一等国民たる日本人の地位に引きあげるものと考えられた。それは朝鮮人を苦しめるものではなく、恩恵を与えるものと考えられた。植民地支配に対する責任感は、おこりようがなかった。第三に、朝鮮人に対するいわれなき優越感・蔑視感を育てた。同化といっても、現実の支配・被支配の関係は明白に存在し、それは当然かつ自然のものと考えられた。同化政策は、その現実に存在する差別を否定するものではなかった。(12) こういう同化政策に由来する日本人の朝鮮人感は、一九四五年以後も、日本政府が依然として在日韓国・朝鮮人に対する差別政策をつづけていることを根本的な原因として、こんにちにおいても、なお、日本人一般のなかに根づよく残存している。

朝鮮神宮の創建

このような同化政策の手段としては、教育と並んで神社政策があった。上記のように、国家神道の強制は、天皇制維持の重要な手段であったが、日本が植民地を拡大するにつれて、神社もまた植民地に次々と建てられていった。朝鮮における神社は、はじめ日本人居留民が居留地に建てたもので、もとより朝鮮人とは無関係であり、日韓併合時に三一社あったが、日本におけるような社格制度も神社制度もなかった。一九一八年一一月、内秘第四二四号で、朝鮮人総督長谷川好道から内閣総理大臣宛に次のような文が発送された。

「未だ朝鮮全土の民衆の一般に尊崇すべき神社なく、民心の帰一を図り忠君愛国の念を深からしむる点に於て遺憾とする所なき能わず、依て此の際、国風移植の大本として、内鮮人の共に尊崇すべき神社を勧請し、半島住民をして永えに報本反始の誠を致さしむるは朝鮮統治上、最も緊要の事と存候、就ては（中略）天照皇大神と（中略）明治天皇の二神を奉祀致度見込を以て社殿造営費を大正七年度より同十年度の予算に計上致候には、社地を（中略）

京畿道京城府南山に相し（中略）社号を朝鮮神社と定め、社格を官幣大社に列せられ候様、御詮議方御取計相成度候也」

そして三・一独立運動直後の一九二〇年七月、内閣告示第一二号を以て朝鮮神社設立の告示が出され、同年九月、地鎮祭が行なわれ、一九二五年一〇月一五日、鎮座祭が行なわれた。これより先、同年六月に内閣告示第六号によって、朝鮮神社は朝鮮神宮と改称された。「理由書」によれば、「朝鮮人は古来、典礼格式を尊び候に付ては、社号の如何が朝鮮人に与うる感想に就ても深甚の注意を払うの要あるべく、況や神宮の御名は、在鮮内地人に対し無上の喜を与うると共に益々崇敬の念を喚起し、新領土に於ける開発に関し、勇往邁進せしむる」ためであった。

同年一〇月一五日付の『東亜日報』は、朝鮮神宮鎮座祭にキリスト教学校が参拝しないことを報じ、京畿道知事時実秋穂の「神宮参拝は宗教的色彩をもつ崇拝でないと思うが、各自の見解の違いで参拝しないというのであればしかたがない、参拝を強要するつもりはない」、また内務局長生田清三郎の「宗教ではない神宮を宗教と誤解してのこと故、今後その誤解を正すまで別段問題はない」という談話を載せている。ところが、次の学務局長李《イ》軫鎬《シンホウ》の談話は、「宗教でないことを当局は力説したので、理解のうえ参拝することになっていたのに何故、来ないのかわからない。当然、参拝すべきだが、強制するつもりはない。学務局単独で処理できぬ重大問題で、鎮座祭終了後、総督が処分されるであろう」というやや厳しいものであった。『東亜日報』は翌日の社説で、両局長のどちらの説が総督府の意見か明らかでないが、神社が道徳的権威によって精神上の感化を与えるのであれば、一種の宗教であることは明らかだから、現代文明国では、信仰の自由を認めざるを得ない理由を忘れず、狭量な処置をせず誤解をとくよう努力せよと論じた。その後の経過は明らかでない。おそらく厳しい処置はとられなかったのであろう。警視総監太田政弘が総督府警務局長に返答を求めた「鮮高秘第三〇二九号」(一九二六年三月二五日付)に付された初代朝鮮神宮高松四郎宮司の次のような手紙がある。

「朝鮮神宮の創立盛儀を極めたりと云うものの、内容に至りては真に言語同断(中略)内務局長は小生に対し地方課長を通じて、神社は倫理的施設なれば祈願祈禱は行うべからず、神前結婚又不可也との事にこれあり、小生逆襲して一論争を遂げ、結論として神社は決してさるものにあらず、従ってこの命令は遵守するを得ずと明言して之を斥け、爾来どしどしこれを実行居候が、局長は神社を以て思想善導をなさんというが如きは時代錯誤也、朝鮮神宮の創建亦時代錯誤なるも、玆に至れるもの故、不得止となすものの如く(中略)神符・守礼を不都合なりと申居る由、而してこの思想は内務局長に止らず大部分の高官連の意見の趣、小生事宜によりては、総督、総監の御前会議を求めて大いに之を論破せん心算に有之候」

さらに、一九二九年一月になっても、高松は「山梨朝鮮総督に呈する書」を総督宛に出し不満をぶちまけている。鎮座後すでに満三年を経過し、新年祭、新嘗祭など勅令制定の諸祭あわせて二〇回をこえるのに、「総督総監両閣下の御参列を見たることなく、勅任官の参列亦指を屈するに足らず候（中略）〔社殿は〕季節に対する設備を欠き、斎員参列者共に安んじて祭場に侍するを得ず（中略）境内の砂利其形大に過ぎ、老幼婦女子の歩行に難渋すること言語に絶し」、そのための工事予算を三年にわたって申請したが削除され、宮司官舎は雨もりはげしく、窓も一つだけの日当りの悪い総督府最旧の洋館で、向側の奏任課長官舎に比しひどすぎる、神宮宮司は勅任待遇なのに自動車備付もなく、総督官邸の新年宴会には、勅任以上の文武官、民間有力者を招きながら、一度もその列に加えられたことがない。神祇尊崇の風習を「朝鮮全土に普及し、内地と異なるなからしめ、以て民心の帰一を図り、忠君愛国の念を深からしめ、統治上に資する処あらんとする理由を以て、総督府より内閣に建議せられ候結果として、御創立を仰ぎたる朝鮮神宮に対する総督府の態度、以上列記するが如くに候。小職の仏造って魂入れずの感ありと申候もの、決して誣言の非礼を敢てせるにあらざることを確信仕候」

一面一神祠政策

以上により、朝鮮神宮創建当時においては、憲法上の立前もあり、外国人キリスト教宣教師などの監視もあり、総督府も、その参拝を朝鮮人に露骨に強制しにくい状況にあったことがわかる。しかし、一九三五年、天皇機関説が排撃され、議会が三月、「政府は崇高無比なる我国体と相容れざる言説に対しては、直ちに断固たる措置をとるべし」との決議を可決したのに呼応して、同年四月、政務総監今井田清徳は道知事会議において、「敬神崇祖が我が立国の要道であって、又国民道徳の淵源たるに鑑み、之を明徴にし之を宣揚して以て益々国民精神の振作更張を図られたい」と訓示し、「神社に参詣して一種敬虔なる気に打たれ感謝することが、品性陶冶に不知不識甚大の影響あることは否み難き事実であり」「神社に学校を率いて参詣する、神社の祭典を盛大厳粛にして人心を玆に集中する」ことが重要であると註釈している。

翌一九三六年八月には、神社制度改正に関する勅令五件が発布された。「昭和八年末以来、朝鮮に於ける心田開発運動の異常なる進展に伴い、神社を中心とする精神運動亦漸次顕著」となり、

「速かに神社制度を確立し以て時運に対処するの要あるを認め（中略）昭和十一年に至り成案を得、同年八月関係法一切の公布を見、玆に画期的神社制度の改正を見るに至った」

今井田政務総監もまた、次のような談話を発表した。「本日公布せられましたる勅令は都合五件でありまして、之に依って国幣社に関する職制其の他の確立を見、又朝鮮に於ける官国幣社以外の神社に対しても、内地同様、道府邑面より夫々神饌幣帛料供進制度の確立を見たのでありまして、多年の要望でありますところの朝鮮に於ける神社制度確立の問題も、概ね所期の目的を達成するに至りました」「特に此の時に当りまして京城神社並びに竜頭山神社の御両社を国幣社に列格（中略）更に国幣社に関しましては一道概ね一社の方是を定め（中略）一道崇敬の中心を確立し、神社制度の整備と相俟って神威の宣揚により、民心の帰趨を正しう致したいと存じて居る次第であります」

こうして、一道一列格社設置方針に従って、翌一九三七年、大邱神社、平壌神社、一九四一年、光州神社、江原神社、一九四四年、咸興神社、全州神社が国幣社に列格された。さらに総鎮守たる朝鮮神宮を補佐する官幣大社として一九三九年、総督府告示第五〇三号によって扶余神宮を創立、また日本で一九三九年三月、護国神社の関係法令が発布され確立した制度に基づいて、同年、京城、羅南に護国神社の創立を決定した。

こうして頂点を伊勢神宮に直接奉仕する朝鮮神宮と、これを補佐する扶余神宮の官幣大社を置き、その下に国幣社に列格された神社、その次に居留民設置神社、底辺に民衆と日常不断に接触する神祠を置き、神社制度ヒエラルキーは確立され、朝鮮全土のすみずみまでくまなく神社、神祠を配置し、皇民化政策強行の拠点は完成、国体明徴の時流に乗って神社参拝は急速にその強要度を強めていった。

一九三七年以降、中国侵略の本格化につれて、朝鮮においても戦時体制が強化された。神社中心に愛国班がくまれ、神社参拝、宮城遥拝、国旗掲揚、皇国臣民誓詞斉唱、勤労奉仕の月例行事が強要され、各家庭に神棚設置が強制され、伊勢神宮の大麻が強制頒布された。そして警察内にその監視隊を組織して、毎朝礼拝励行の有無を査察させ、また愛国班員中に内通者をつくって逐一報告させ、穀物、ゴム靴などの配給その他に差をつけるなど、陰険な方法で励行させた。

朝鮮神宮の参拝者も**表2**のように激増した。また一面一神祠設置の方針のもとに、面事務所、駐在所が指揮して、その所在地近くの高所に神祠建設を強行し、一九四五年六月現在で朝鮮全土の神社、神祠数は一〇六二に達した(**表3**)[13]。

表 2　朝鮮神宮参拝者数

年　次	参拝者数	日本人	朝鮮人	その他	一日平均
1930 年	386,807	319,636	63,900	3,271	1,059
1935 年	937,588	709,741	225,488	2,359	2,569
1936 年	1,173,853	829,314	340,909	3,630	3,207
1940 年	2,158,861	2,152,459		6,402	5,915
1942 年	2,648,365	2,646,565		1,800	7,256

表 3　朝鮮における神宮・神社・神祠　（1945 年 6 月末）

道	府邑面数	神社・神祠総数	官幣社	国幣社	道供進社	府供進社	邑供進社	その他神社	神祠
総　数	2,346	1,141	2	8	9	7	14	39	1,062
京畿道	234	162	1	1	1	1	1	2	155
忠清北道	106	74	—	—	1	—	1	1	71
忠清南道	173	39	1	—	1	—	4	3	30
全羅北道	177	34	—	1	—	1	3	6	23
全羅南道	254	255	—	1	—	1	1	7	245
慶尚北道	252	68	—	1	2	—	—	3	62
慶尚南道	242	47	—	1	1	—	2	2	41
黄海道	211	185	—	—	1	1	—	1	182
平安南道	141	34	—	1	—	—	—	1	32
平安北道	172	139	—	—	1	1	—	3	134
江原道	174	46	—	1	—	—	—	3	42
咸鏡南道	132	26	—	1	—	1	—	4	20
咸鏡北道	78	32	—	—	1	1	2	3	25

竹島栄雄氏所有資料及び『神社本庁十年史』1941 年 7 月現在のものの複合により作成（韓晳曦『日本の朝鮮支配と宗教政策』1988 年，p 176 より引用）

朝鮮以外の神社政策

神社建設、神社参拝の強制は朝鮮のみにとどまらなかった。新領土、植民地を獲得するごとに、確実に神社を建設していった。しかも日本人が参拝するだけではなしに、支配下においたアジアの人々にも神社参拝を執拗に強要した。たとえば、シンガポール陥落一年後の一九四三年二月一五日に同地で昭南神社の鎮座祭が行なわれたが、当日、「アラーの神しか信じない回教徒も、カトリックのデバルス大僧正も、見よう見まねで玉串を捧げ、かしわ手を打って礼拝した」という。当時の日本人は、なぜ、あれほど支配下においたアジアに対して尊大で無神経な振舞いができたのか。それは、皇国思想に強く呪縛されていたからである。昭南神社の「時の立札」には、次のように書かれていた。

「異境の地つぎつぎ鎮め平け、宮柱太しき立て、千木高知らす、天つ社、国つ社こゝに皇神いますと、新しき民等も斉しく額を垂る、その胸に深く深く通ふもの、純一無雑、ひとすぢの日本精神、大らかに大らかに、肇国のこころここに湧き出ず」

ここにうかがわれるのは神国日本の「皇神」の進出をうたい、「日本精神」「肇国のこころ」の賛美である。「異境の地つぎつぎ鎮め平け」とあるが、これは「まつろわぬ」異族を次々に征服していったとされる神武東征神話を彷彿とさせるものがある。事実、それにつづく「宮柱太しき立て、千木高知らす」は、「畝傍の橿原に、底つ磐之根に宮柱太しき立て、高天の原に博風《ちぎ》峻峙《たかし》りて」、つまり地の底の岩に柱を太々と立て、天空高く屋上の千木を立て、奈良橿原に宮殿を造営し、初代天皇になったという神武天皇の治績に関する日本書紀の記述が、そのまま下敷きにされている。この時代の神社のあり方は日本の神話との関係ぬきでは考えられないが、この遥かな地に鎮座まします昭南神社も、また、その例外ではなかった。「八紘一宇」という「大東亜共栄圏」のスローガンとなった思想は、こうした神武天皇の「肇国の大御心」に基づくのである。

このような海外の神社は厖大な数におよんだが、とくに十五年戦争期に急速にふえたことは、次の**表４**から知ることができよう。これらを、各地の代表的な神社にかぎって創建年次順にならべてみると、

一九〇〇年　台湾神宮
一九一〇年　樺太神社
一九二五年　朝鮮神宮

一九三八年　関東神宮
一九四〇年　北京神社
一九四三年　昭南神社

また旧満州（中国東北部）には、一九四〇年に建国神廟がつくられている。

これらの神社が、どのような意図によってつくられたかは、すでに朝鮮神宮について記したが、一九四〇年六月に鎮座祭をおこなった北京神社の場合をみると、鎮座祭の席上、土田豊総領事は次のように述べた。

「聖戦既に三歳余、中国には正統国民政府〔汪兆銘による国民政府〕が樹立され、われ等と手を携へて東亜に新しき秩序を創生せんと、不惜身命の努力を続け居ります其の重大な時機に際し、われ等日本民族は其の発祥と共に具有せし神ながらの道、斯の道の最高度に具現せる『神社』を、華北の古都北京の貢院の跡に奉斎するという事は、啻に居住日本同胞の生成発展の為めに歓喜慶祝すべきのみならず、又実に中国四億の民衆をして、其の本然の姿に還らしむる為に、いかばかりか大いなる力となり、泉となるか知れないのであります。即ち、北京神社の祭神を拝する事に依り神ながらなる日本のうるはしき姿を認識するでありましょうし、神社の大前に額ずくことに依りて、対立抗争の邪心は消えて、和衷協同の、うまし心が湧き出ずるのであります」

冗談ではない。この土田某は、本当に、北京神社に参拝することによって、中国四億の民衆が「本然の姿に還」り、「対立抗争の邪心は消え」るとでも思っていたのだろうか。この北京神社は天照大神と明治天皇をまつったものだが、日本でこそ至高の両神であったとしても、中国人には縁もゆかりもない。

神祇院編『神社本義』（一九四四年）は、各地での海外神社の歩みを誇らかに紹介した上、次の

表4　新領土・植民地における神社設置数

年次	樺太	朝鮮	台湾	中国本土（満州を含む）	その他	計
一八六八—一八九〇		一				一
一八九一—一九〇〇		三	二			五
一九〇一—一九一〇	一〇	三	三	九		二五
一九一一—一九二〇	一	四〇	一三	三一	二	八六
一九二一—一九三〇		一四	三	七	一	二五
一九三一—一九四二		二七	一	二六	一	一六五

「神祇史年表」＝藤谷俊雄著『神道信仰と民衆・天皇制』一九八〇＝昭和五五年十二月刊所収（鈴木静夫、横山真佳編著『神聖国家日本とアジア』一九八四年、一〇八ページより引用）

ように記している。

「大東亜戦争の勃発以来、皇威の益々揚ると共に、昭南、香港を始め南方の要地にも、相次いで神社が創建せられ、神威の四海に輝くのは、人紘為宇の理想を顕現する所以である」

最近、戦争中の米『フォーチュン』誌の日本特集号（一九四四年四月号）が翻訳されたが、広く日本の政治・経済・軍事・文化、とくに天皇制について的確な分析が行なわれている。

「日本の侵略戦争の根源は、決して、単なる外交や貿易の問題にのみあるのではない。その根源は、日本人の心性、日本の社会構造の深いところから発しているのであり、しかも、この危険な、社会的、心理的構造の要となっているのが、ほかならぬこの天皇という存在なのである。天皇を中心としたればこそ、盲目的《ママ》、熱狂的な忠君愛国、特権階級の専制政治、軍の吹き鳴らす進軍ラッパが、一体となり、近代日本は、その上にあぐらをかいてきたのである」（フォーチュン編集部編、熊沢安定訳『大日本帝国の研究』一九八三年）(14)

第四章　天皇制に対するキリスト者の抵抗

神社に対する朝鮮民族の抵抗

このような日本政府の神社政策に対して、最も果敢な抵抗を行なったのは朝鮮民族である。神社参拝強要は、学校からはじまった。一九三二年以来、地方官庁の神社参拝督促は次第に厳しさをまし、キリスト教系学校はこれを拒否したが、総督府は、あくまで参拝を拒否する学校は廃校する方針を固めた。一九四二年頃までに、私立を公立に、校長や教頭を日本人と交替させることにより、キリスト系学校を全面的に屈服させていった。

次は、キリスト教会。天主教は全く無抵抗であったが、一九三八年一〇月の監理教会総会に朝鮮総督南次郎が臨席し、「大日本国民たる者は、其の信仰する宗教の如何を問わず、斉しく天皇を尊崇し祖先の神を敬い、国家に忠誠を尽すべきは言を俟たざる所にして、信教の自由は大日本国民たる範囲に於てのみ容認せらるるものなり。故に皇国臣民たるの根本精神に背馳する宗教は、日本の国内に於ては、絶対に其の存立を許されない」と訓示した。

そして頑固に神社参拝拒否をつづける長老教会に対しては、一九三八年二月、次のような方針で監視弾圧を加えた。

(1)教役者座談会を開催させ、一般教徒を啓蒙させる。

(2)指導ならびに施設

①教会に国旗掲揚塔を建設せしめる。

②国旗に対する敬礼、東方遥拝、国歌奉唱、皇国臣民の誓詞斉唱などの実施、戦勝祝賀会、出征皇軍の歓送迎などの国家的行事に積極的に参加せしめる。

③学校生徒の神社参拝は絶対的に必要であるが、一般教徒には先ず神社に対する観念を是正理解せしめ、強制にわたることなく実効を挙ぐるよう指導。

④西暦年号は歴史的事実を証明する場合のほかは使用しないよう習慣づける。

(3)外国人宣教師に対して以上実施につき自覚させる。

(4)讃美歌、祈禱文、説教などで内容不穏のものを検閲、臨監などにより厳重取締る。
(5)当局の指導に従わぬ信徒には法的措置をとる。
(6)国体に適合せる耶蘇教の新建設運動に対しては内容を検討し積極的に援助する。

こうした方針による教会と老会への厳重な監視と弾圧の、執拗で集中的な各個撃破攻撃によって、長老教会も次第に崩れはじめた。二月九日、全国で最も教勢の盛んな平北老会が屈服して、神社は国家の儀式であるとの総督府の主張を容れて神社参拝を決議した。

一九三八年六月には、朝鮮総督府は日本基督教会大会議長富田満を平壌に招聘して、朝鮮人の有力教役者と懇談させた。そのときの様子を『福音新報』は次のように報じている。

「朱〔基徹〕牧師の牧する山亭峴教会堂に赴く。腕をすぐった四老会の論客が集合した懇談会である。季承吉氏を座長に呉文煥氏を通訳として富田議長と記者〔日高善一〕とはいよいよ首の座に直る。当教会牧師は前日警察署の留置場から釈放せられたまま《〔マヽ〕》である。

神社問題である。富田氏は既に政府が国家の儀礼として宗教に非ずと規定する以上、宗教の対象とすべきものではない事を法令を引用して説いても質問してくる。（中略）、富田氏は『諸君の殉教精神は立派だが、何時、日本政府は基督教を棄て、神道に改宗せよと迫ったか、その実を示して貰いたい。国家は国家の祭祀を国民としての諸君に要求したに過ぎまい。

（中略）基督教が禁圧せらるるときにのみ我らは殉教すべきである』。議は遂に夜を徹して行われたことを聞いた。警察は場内には僅か二名の角袖を派遣しただけであったが、議論沸騰し殺気立って形勢不穏と認め、窓の外に雲集した群集の中に多くの角袖を配置して我らを遠巻きに保護したことを後に聞知した」

この記事には、朝鮮人キリスト者に対する一片のおもいやりも見出せない。

やがて、教会もYMCA、YWCAも世界的な連帯組織から切り離され、日本の組織に組み入れられ統制されるようになった。こうした烈しい弾圧に抗し切れず、一九三八年九月の長老会総会までに、全国二三老会中一七老会が屈服し、神社参拝を決議した。

総会開催を直前にして、警察は宣教師たちに対し、総会で朝鮮人代表が国民として国家に対する忠誠を披瀝するため神社参拝を提案するのだから、外国人がそれを阻害するのは妥当でなく、もし阻止の行動をとるならば、不敬罪で逮捕すると警告した。また各地の総会代表たちに対しては、所轄の警察署から、総会で神社参拝賛成の動議を出すか、参拝問題上程時には沈黙を守るか、そのどちらにも反対なら総代を辞退せよと強要され、出席する総代には私服刑事二人が同道した。

一九三八年九月九日、第二七回朝鮮耶蘇長老会総会は平壌西門外礼拝堂で開催された。二日目再開時には数百名の私服警察官が包囲し、講壇前面には平安南道警察部長ら幹部数十名が席を占め、総代をはさんで左右に警官が配置され、左右後方には武装警官が取りかこんだ。朱基徹《チェキチオル》、李基宣《イキソン》、金善斗《キムソントウ》らの強硬な神社参拝反対の教会指導者たちはすべて事前に拘禁されて一人も出席できなかった。午前一〇時、前日平壌警察署での打合せ通り平壌、平西、安州の三老会代表朴応律《バクウンリュル》によって、神社参拝決議と声明書の発表の緊急提案が出され、反対意見は無視され、反対者の点呼も行なわれず強行採決され、閉会後、平壌神社に参拝した。

一度屈服したあとの教会も個人も、とめどもなく崩れていったが、しかし、絶対に屈服しない人々もあった。結局、約二千名の牧師、信徒が検挙投獄され、二〇余の教会が閉鎖され、朱基徹など五〇名の牧師が獄死した。それでもなお総督府は連合軍の朝鮮進撃に際し、朝鮮人クリスチャンがこれに協力することを恐れ、一九四五年八月中旬、二万七千人の朝鮮人クリスチャンを殺害する計画であったという(15)。

内村の勅語敬礼拒否事件

神社参拝に対するこのような朝鮮人キリスト者の激しい抵抗にくらべて、日本人キリスト者においては、明治初年から敗戦まで、神社参拝に対して、死を賭した抵抗など、全くみられなかった。唯一の、そして最も有名な事件は、内村鑑三の勅語敬礼拒否事件である（その後、十五年戦争末期のホーリネス事件があるが、これについては後述）。しかし、それは天皇制に対する明確な自覚のもとに行なわれたというよりは、むしろ発作的な行動であったと思われる。この事件の直後、米国人の親友ベルにあてた手紙の中で、内村は次のようにいっている。

「一八九一年（明治二十四年）三月六日、東京、小石川、同心町六番地にて

愛するベルさん　前便をしたゝめて以来、私の生活は実に多事でした。一月九日に私の教鞭をとる高等中学校で教育勅語の奉戴式が挙行され、校長の式辞と上述の勅語捧読の後、教授と生徒とは一人一人壇上に昇って、勅語の宸署に敬礼することになりました。その敬礼は我々が日常仏教や神道の儀式に於て祖先の霊宝の前にさゝげている敬礼です。この奇妙な儀式は校長の新案になるもので、従って私はこれに処すべき心構えを全く欠いていました。しかも私は第三番目に壇上に昇って敬礼せねばならなかったため、ほとんど考慮をめぐらす暇もなく、内心ためらいながらも、自分のキリスト教的良心のために無難な途をとり、列席の六〇人の教授（凡て未信者、私以外の二人のクリスチャンの教授は欠席）及び一千人以上の生徒の注視をあびつゝ、自分の立場に立って敬礼しませんでした！　おそろしい瞬間でした。

その瞬間、私は自分の行動が何をもたらしたかを知りました。元来この学校に於ける反キリスト教的感情は昔も今もすこぶるはげしく、我々の側の柔和や懇切位の事では到底緩和すべくも無いほど面倒なものですが、それが、今こそ、国家と元首に対する非礼のそしりをば、私に、また私を通じて一般のクリスチャンに、かぶせ得る絶好の動機（と彼らは考えます）を見付けたのです。まず数人の乱暴な生徒が、ついで教授たちが、私に向って石をふり上げました。国家の元首が非礼を加えられた、学校の神聖がけがされた、内村鑑三のような悪漢国賊をこの学校におく位ならば、むしろ学校全部を破壊するにしかず、というのです。事件は校外に波及し、新聞紙はこれを取り上げました。帝都と地方の各新聞紙はいずれも私の行動について種々の意見をかゝげましたが、もちろん大部分反対意見です。式後の一週間、私は押しかけて来る生徒や教授たちに面接し、及ぶかぎりの柔和な態度で反問しました。諸君は私のうちに、学校に於ける日頃の行動のうちに、生徒らとの対話のうちに、またミカドの忠誠なる臣民としての私の過去に、はたして勅語にもとるような点があったと思うか、と。私はまた彼らに告げました。英明なる天皇陛下が国民に勅語を降したもうたのは、国民をしてそれに敬礼させる為ではなく、日常生活に於てそれを服膺させる為であると拝察する、と。私のこの論旨と説明とはよく個人としての彼らを納得させるに足りましたが、しかし団体としての彼らの憤怒と僻見とは到底おさえるべくもありませんでした。そのうちに私ははげしい感冒にかゝり、数日にして危険な肺炎に進んでしまいました。哀れな妻と母とは昼夜の別なく私の病床につき切り、その間にも、外には無慈悲な社会が猛り狂いました。彼らは学校長をその病床から呼び出して、私の事件を自分らに満足に解決させようとしました。校長は、私が始めてこの学校に関係して以来ズット私の善い友人でしたから、勅語に対して敬礼するという不面目を強いることなしに私を学校に引き留めておこうと、最善の努力を払ってくれました。しかし私の敵の叫びはピラトに対するユダヤ人のそれでした。『なんぢ若しこの人を赦さばカイザルの忠臣にあらず』と。校長は非常に懇ろな手紙をくれ、私の良心的な行動を認めかつ賞めた後、ほとんど懇願的に国民の習慣に従わんことを求め、いわゆる敬礼は拝礼の意味ではなく、単に天皇陛下にさゝぐる崇敬に過ぎない、と説き、さらに進んで、学校の実状をくわしく述べ、君の言うところを理解せぬ生徒らをなだめる唯一の途は君が譲ることである、との意見を伝えて来ました。この手紙は私を、ことにちょうど肉体的に衰え切っていた私を動かしました。敬礼は礼拝を意味せず、との見解は私自身多年自ら許し来ったところであり、かつ日本ではしばしば、アメリカでいう、帽子をぬぐ、という程の意味で用いられており、あの瞬間私に敬礼をいなませたものは拒否ではなく実はためらいと良心のとがめだったのですから、今校長がそれを、礼拝にあらず、と保証する以上、私のためらいは消え、そんな儀式はばかばかしいものとは知りながらも、学校のため、また校長のため、また私の生徒らのため、敬礼することに同意しました。しかし予めこの点に関するキリスト教の考え方をたしかめておきたいと思い、四人の信仰の友（内二人は組合教会の錚々たる日本人牧師です）の会同を求めました。ところが驚いた事には、彼らはこの様な事柄には私よりもズッと寛大で、すぐに賛成してくれました。しかし肺炎は益々悪化しつゝあり、医師は一切の交渉を厳禁したため、事件全部を諸友人の手に委ね、私は再び生死の境に――一年の間にチフスと肺炎と二回です――さまよっていました。

それから二週間の間、事件については一言も告げられませんでした。かすかな声をしぼって、学校のことはどうなっているか、と妻にたずねますと、たゞ『大丈夫です』という返事ばかりで、耳に入るものはたゞ訪問客が門口を出たり入ったりして、哀れな妻や母と議論しているらしい気配だけでした。しかし神は恵み深くいまし給い、幸いに熱の危険は去り、体温も常態に復し、歓喜と感謝とは再び家中に溢れました。僅かながらも食事を口にしえて、幾分力づいた私は、さっそく旧い新聞紙を持って来させました。するとどうでしょう！　私の名前が世論の中心になっているではありませんか。私は、私の立場を弁明し釈明する一通の手紙が私の名前で各新聞紙に発表されているのに気付きました。これは友人たちが、世間の興奮をしずめ、私の身辺の危険を除こうとして出してくれたものだったのです。高等中学校との関係はすでに破局となり、私は一切の職務を奪われていました。同時に一団のクリスチャンたちが、ほこをさかしまにして私に向け、私が敬礼することに同意した事を非難して、卑怯者よ、へつらい者よ、と罵っている事を知りました。彼らは大部分長老教会の信者です。私だけに止らず、家族までが世の非難の的となり、今もなっています。世人は、私が結局礼拝することに同意した事実は確かめもせずに、たゞ私の当初のためらいを目して断乎たる拒否と見なします。一方長老教会の人々は、自分では敬礼するも差支えなしとしながら、私が政府の権威に屈服した――と哀れむべき彼ら狭量の聖徒らは考えます――事に向って軽侮の言葉をあびせかけて来ます。私個人の事件が、漸次国家及び皇室、対、キリスト教という一般問題にまで発展して来ました。知名の士の中には、『世界の救い』を説くキリスト教は『一独立体としての国家』の存在を危くするものである、と主張する者もあります。或はまた、イエスの宗教は気短かで怒りやすいのだ、という点まであげて当局者に非難をよせる者さえあります。こうして現に私とキリスト教に対して行われつゝある種々の論議を、一々こゝに御報告することは出来ません。(後略)[16]」

内村の矛盾

私たちは、外国語でしゃべり、また書く場合、往々にして、日頃、母国語に対してはたらく強い自己規制を忘れて、おもわず率直に自己の本心を吐露してしまうことがある。内村が生涯にわたって親友ベルに送った手紙には、人に語ることをしなかった彼の本心が率直に記されている。ベルは内村を「世界の偉人」と誇り、自宅に「内村室」をつくって内村の写真などをかざり、その手紙は一通残らず大切に保管した。後年、その手紙を集めて印刷し公刊しようとしたとき、内村は、「これは私の心の最も深いところをつづった神聖な手紙ですから、アナタ以外の人に読まれたくありません」とことわったことも(17)、その率直さを実証するものである。

内村は、「勅語不敬事件」について、生涯ほとんど語ることがなかったが、それだけに、この事件直後のベル書簡は、彼の気持を率直に語っていて貴重である。この手紙で明らかなことは、そのとき、彼の心に、天皇制否定の気持が明確になかったということである。彼は、事件直後、「敬礼は礼拝を意味せず」という一高の校長の勧告を、一高におけるキリスト者の二人の同僚、木村駿吉と中島力造および組合教会を代表する二人の牧師、金森通倫と横井時雄の賛成を得て実行しようとしたが、病気のため、木村に代行させた（それにもかかわらず、内村は一高を罷免された）。この校長の言葉は、上記のような朝鮮人クリスチャンに対して神社参拝をすすめた富田満の言葉「既に政府が国家の儀礼として宗教に非ずと規定する以上、宗教の対象とすべきものではない」を想い起させる。

「不敬事件」と日本正教会

では、この「不敬事件」について、当時の日本のクリスチャンは、どのような態度をとったであろうか。これらクリスチャンたちの主張は必ずしも一様でなく、宸署（教育勅語）礼拝に対して、積極的賛成論者から、逆にこれを強硬に否定する者まであった。この間の状況の一端を、『郵便報知新聞』（一八九一年二月九日）は、次の如くのべている。

「此事につき基督教徒中に二派の議論を生し、一は日本臣民として拝礼せざるべからずと主張し、他の一は必ずしも低頭拝首するが如き外形上の虚礼を為すに及ばず、精神的黙礼せば足れりと主張して、今に何れとも決せずとか」

『東北毎日新聞』(同年二月一一日)や、『東京朝日新聞』(同年二月一一日)等も大体これと同様な記事を掲載している。いま『東京朝日新聞』の記事を次に引用してみよう。

「勅語奉読式捫着の余波　第一高等中学校嘱託講師内村鑑三氏が、勅語捧読式の際敬礼せざりし件にて解職となりたる由は、既に記せしが、昨今、尚、基督教徒中には、右に関する議論二派に分れ、一は同氏の行為は日本臣民として敬礼を失いたるものなりといい、一は縦令勅語なりとはいえ、霊魂を有せざるものには外形上の礼式をなすに及ばず、只、精神的黙礼をすればそれにて充分なりといい、未だ何れとも決定せざる様子なりと」

次に、当時の日本の代表的キリスト者のとった態度を紹介してみよう。まず初めに、日本正教会(日本ハリストス正教会)の機関誌『正教新報』(一八九一年二月一五日)に、森田亮の書いた「不敬事件を論じて吾正教会の主義を明にす」という論説が掲載された。

「先般、第一高等中学校に於て、教育に関する勅諭《〔ママ〕》の奉読式の時に当り、諸教諭学生一同に尊影敬拝の礼をなしたるに、教諭中独り内村鑑三氏は、其基督新教の信徒たる故を以て此礼をなさず、後ち学生の尤むる所となりしも、却りて之を敬拝するの理由なきを以て之に答え、遂に学生間に一大激昂を挽き起したること則是れなり、今や世間亦之を喧伝して、或は『拝影事件』と云い、或は『不敬事件』とは謂うなり。此事や、実に小事なる者の如くなれども、『第一』吾国古来の人情風俗に反し、『第二』古来、吾国人の皇室に対し来れる忠愛の感情を損する者の如き感なき能ざらしむる等の事あるに於ては、決して黙止し去るべきに非ざるなり」

「吾正教を奉ずる者は、断じて之を以て、不敬の行為なりと明言するを躊躇せざるなり。本此事たる、専ら国風民俗に関する事にして、毫も宗教上に関する所なし、されば此事にして、苟も吾国古来の風俗慣例に背き、吾国人の思想に反する以上は、果して之を不敬の行為なりと断ずるも可なり。然るを内村氏及び其弁護論者輩が、浅間敷も之を以て無心の偶像崇拝を厳禁する教理と混同し、以て此事あるに至れるは、何ぞ其僻見誤解の、甚しきや、寧ろ之を頑陋編枯の観念と謂わざるべからず」

すなわち森田亮は、「尊影礼拝」を「基督新教の信徒たる故を以て」実践しなかった内村の行為は、明白に「不敬」であると論断するのである。

「不敬事件」と普及福音教会

普及福音教会の三並良と丸山通一は、東京本郷の壱岐坂教会堂で、一八九一年二月四日、事件関係の演説会を開催した。

三並は『日本に於ける自由基督教と其先駆者』の中で、この演説会を、次のように説明している。

「私は此の事件を伝聞して、これは基督教に取って重大事なりと思い、丸山と相談して、問題を私共の意見で正鵠と云う方へ導かんと欲して、壱岐坂会堂で講演会を開いた。問題が問題とて、早く満員立錐の余地さえなかった。(中略) 丸山も私も御宸筆だろうが、御真影だろうが、それを尊重し、不敬にならないようにするのは当然である。併し之を神体として礼拝せよと云うならば、偶像は礼拝せずと云う基督教の立場から断乎之を拒絶せざるべからず、憲法の明文は既に我々に信教の自由を許して居る。我々はその権利を主張せざるべからずと云う主旨を述べたのである」

この演説会場は一高にほど近く、問題が当時の大問題なので、当夜は超満員、しかも猛烈な野次がとび、やがて喧々囂々たる大騒動になってしまった。

さらに、三並と丸山は、それぞれ普及福音教会の機関紙『真理』に論文をのせている。まず三並は「国粋と基督教」(『真理』一七号、一八九一年三月八日)において、次のように論じた。

「頃者人あり、基督信徒をして我皇帝陛下の尊影を拝せしめんとせしものありき、拝せざれば目して不忠不敬となす、或は、基督信徒中にも拝するも可なりと云う者あり、曰く是れ基督教の禁する拝偶像と類を同じくするものにあらずと、果して両者共に正当の論を為すものなるか、夫れ古代蒙昧の世にありては、帝王は一般に神なりと信ぜられ、之れに服事するに神を崇拝すると異なる所なかりし、後ち文明進歩と共に、帝王も人民と類を同じくする者たるを知れども、之れに服事するには神に服事すると同一の礼式を用ゆ、而して後、終に神に服事すると帝王に臣事するとを分つに至る、然れども、若し帝王をも尚お神として崇拝せんとせば、是れ帝王崇拝教のみ、此の教を信ずる者は、帝王を崇拝するも可なり、基督信徒は之れに関するものにあらず、(中略)或は基督信徒にして陛下の尊影を拝するは、宗教的にあらざれば拝するも可なりと云うものありと雖も、是れ拝影の泉源する所を知らざるもののみ、帝王の肖像を拝し、聖人賢人の肖像を拝するは、是れ祖先崇拝教若しくは偶像教の崇拝に基くものなり、今日、偶々、宗教を離れたるが如き風に於て、尊影を拝するを見て、是れ宗教的にあらずと云うものは、是れ其の由て来る所と其の関係する所の何処に迄わたるやを考究せざるが故なり、余は断じて云わん、肖像或は文字を拝するは、祖先崇拝教、偶像教の遺物なり、故に今日と雖も之れを拝するは、尚、宗教的の崇拝なりと、蓋し吾人は古来、宗教思想を去れて肖像文字を拝することあるを知らざるなり」

すなわち、三並は、肖像礼拝、文字礼拝を祖先崇拝教、偶像教の遺物として、はっきりと否定したのである。また、丸山も、「規定行礼を論ず」（『真理』一九号、同年四月三〇日）において、次のようにのべた。

「近来、偽善の風、大に行われ、或は痩犬的矜己の失となり、或は虚礼偏重の弊となる、知らず、彼の御親筆礼拝の挙、亦た其の所出なるか、兎に角、其が偽善の風潮の為めに歓迎せられ、又た偽善の風潮を助成せしは争うべからざるものの如し、而して其の生れたる理由を聞くに、全く礼式を以て精神を創造せんとするの方案に出でたるなりと云う、（中略）然るに、第一高等中学校に於て御親筆礼拝の式を設くるや、全く生徒統御のポリシーなるが故に、教員の如きは真面目に礼拝するを要せずと云う、已れ已に精神なし、豈に他をして精神を生ぜしむるを得んや、（中略）凡そ斯かる偽善的な虚礼は、吾党の屑しとせざる所なり、且つ譬い彼の御親筆礼拝の如きをして、偽善的の分子なく、又た非宗教的の解釈をなし得べしとするも、吾党は尚お憚かりて之を避けざるを得ざらん、蓋し其の礼式の酷だ宗教的の臭味あるが故に、非宗教的の解釈を以て万人を満足せしむる能わず、（中略）御親筆の貴ぶべくして鄭重の取扱いを要する、誰か之れを知らざらん、是れ陛下の物されたる所なればなり、然れども、作者と被作者とを混して、御親筆は即ち陛下なりとするに至ては、必ずしも万人の一轍に首肯するを期すべからず、（下略）」

同じく普及福音教会の『真理』にのった向軍治の論文「是謂行敬礼歟将是謂拝偶像歟」（『真理』一七号、同年三月八日）は、三並、丸山と異なり、日本で行なわれている儀式の内、国体に反せぬものは従う必要はないが、国体と深く関係する儀式は、キリスト教徒といえども従うべきであると主張し、内村の行為をはげしく非難している。

「不敬事件」と組合教会

組合教会の人々の内、金森通倫は、事件勃発直後、内村から相談を受けた四人のクリスチャンのうちの一人で、四人が敬礼に賛成したことはすでに述べた。金森は「帝室及祖先に対する敬意」(『基督教新聞』同年二月六日)において、次のように論じている。

「天皇の真影及び賢所参拝等は如何と云うに、是れ亦前と同様の義なり。天皇は我国の至尊、吾人が主君なり、されば其至尊を代表する真影に対して敬礼を施し、若くは　天皇の御祖先に対して敬礼をなすは、毫頭、宗教的の分子を含むにあらず、只、君臣の義より生ずる外形の礼式なれば、是等の敬礼をなすに於て、吾人基督信徒が信仰上、若くは主義上に於て、何の妨害かあらん、かゝる場所に於ては、吾人か信仰の主義を用ゆべきにあらず、只、君臣上下の義理よりして、是に適当なる敬礼をなせば、其れにて十分なりと思うなり、然れとも、政府よりして是等は爾後、臣民の奉戴すべき神様なるにより、爾後臣民は是に対して祈願祈禱せよとあらば、是れ即ち吾人が信仰の自由を蹂躪せらるゝ者なれば、如何に政府の命と雖ども、己が主義を破りては是に服従する事能わざるなり」

要するに、御真影、賢所などを神格化して祈禱せよというのであれば、拒否すべきだが、単なる敬礼は宗教的分子をふくんでいない。君臣の義から生じる礼式にすぎない。したがって、これらに敬礼することは、キリスト者として、なんら差支えないというのである。

この金森論文をうけて、「再び礼拝事件に付て」という社説が掲載された(『基督教新聞』同年二月二七日）。これは無署名であるが、上記の四人の一人、横井時雄が執筆したか、少なくとも承認したものと考えていい。

「抑、我国の基督信徒をして、普通の敬礼と宗教的礼拝との区別を誤らしめ、是が為に、多くの人の良心を傷め、又是が為に多くの日本人の前に、福音の門を閉ぢて、是に入るを拒み、彼等を暗に迷わしめたるは、果して誰の罪ぞや、若し三省して其帰する所を尋なば、必ず覚る所あるべし」

「抑、偶像を此上もなき恐しき者の如く思惟して、其像だも是を忌みたるは、昔時のユダヤ人にして、それには深き歴史上の因縁あるなり、然るに其を以て直ちに今日に適用せんとする、愚も亦甚しと云うべし、今日の日本に於て、恐るべき者は木石の偶像にはあらで、心中の偶像なり、教会中の偽善なり、只、儀式に流れて、真の生命を失うたる偽信者なり、是等は実に我基督教会を毒殺せんとする者なり、吾人信徒たる者も宜く是等の大敵に向て全力を注ぐべし、只、外形の礼拝儀式の如きは何れになくも〔ママ〕、吾人に於て何かあらん、世に外形皮相にのみ汲々たる者よ、猥りに孑孑《ぼうふり》を漉て駱駝を呑まざる様注意すべし」

要するに『基督教新聞』にあらわれた金森、横井の主張は、宸署敬礼は宗教的意義はなく、したがって差支えないとするものであった。

巌本、押川等の態度

巌本善治の主宰する『女学雑誌』は「教育上、勅文礼拝の事を論ず」という社説を掲げた（同年二月七日）。

天皇に敬礼を尽くし、勅語を尊重するのは、日本臣民として当然のことである。ついで教育勅語に対し「礼拝」Worshipを求めるのはもちろん不当なことであるとし、勅語礼拝を否定している。しかし、「敬礼」を表すのは日本人として当然の行為であるとし、「敬礼」を肯定している。

「但だ夫れ文字に対して崇拝（ヲルシップ）するの一義に至っては、基督教真理の固く執って聞かざる所ろのもの也。然れども之れ、只だ基督教の若《し》か言うのみにあらず、文明の学理と高尚なる道徳とは皆な如此く言えり、墨跟帋塵に対して霊性を献げ、本心を誠にして之を崇拝するが如きことは、啻に其事の為す可らざるのみにあらず、実は得て之を為し難きもの也。たとひ万一得て之を為すべしとするも、わが、陛下は如此き蛮野の行為を太甚しく嫌悪し、夙に臣民に戒しめて其事なかるべしと宣り玉いき」

「教育には特に実践を尊とみ、道徳には深く偽善を悪くむ。然るに今　勅語の主旨を実行することを勉めずして、只だ其虚礼に流れ、公々偽善の式を行わせて、之を生徒の眼前に表白するに至っては、陛下に対し不忠甚しきことは言う迄もなく、教育上に於ても亦失策至大の処置なりと云わずんばある可らず」

そして、教育勅語を礼拝するような式の行なわれないことを希望し、その聖意の実際に行なわれることを切望している。

以上の三並、丸山、巌本に加えて押川方義、植村正久の五人の連名で「敢えて世の識者に告白す」という共同声明が発表された（『郵便報知新聞』同年二月二一日、二二日。『日本評論』三四号、同年二月二五日。『福音週報』五一号、同年二月二七日）。「事件」について世論囂々たる時、黙すること能わず、満天下の識者に告白し示教を乞わんと欲して執筆したといっている。

「各小学校に陛下の影像を掲げ、幼少の子弟をして之に向って、礼拝をなさしめ、勅語を記載せる一片の神〔ママ〕に向って、稽首せしむるが如きは、必ず宗教上の問題として之を論ずべからずとするも、吾輩教育上に於て其何の益あるかを知るに苦しむ。寧ろ一種迷妄の観念を養い、卑屈の精神を馴致するの弊あるなきかを疑う。また如此き処置を以て皇室の尊栄を維持せんと欲するは頗ぶる策の得たるものに非ることを信ず。皇上は神なり。之に向って宗教的礼拝を為すべしと云わば是れ人の良心を束縛し、奉教の自由を奪わんとするものなり。帝国憲法を蹂躙するものなり。吾輩死を以て、之に抗せざるを得ず。然れども影像を敬し宸筆に礼するは、必ずしも如上の意味合にては非るべし。蓋し政治上、人君に対するの礼儀として之を為すことなるべし。果して然らば、是れ宗教上の問題に非ず。教育、社交、政治上、得失利弊の一問題なるのみ」

要するに、君主に敬意を表わす礼式には賛成するが、その礼式中にもし宗教的臭味があれば反対である。したがって国民全体に関係する礼式から宗教的臭味を除去することが、国家および皇室の利益であり、また憲法上の義務であるというのである。

植村の態度

最後に、植村正久その人の言論について、みてみたい。彼は『福音週報』（五〇号、同年二月二〇日）に社説として「不敬罪と基督教」を掲載し、そのため『福音週報』は発売禁止ならぬ発行禁止の処分を受けた。当時の日本政府の思想を知る上で重要な論文なので、次にその全文を引用する。

「今日はニロウ〔ローマのネロ皇帝〕の時に非ず、またテオクリシアン〔ローマのGAVディオクレティアヌス皇帝」の代に非ず。故に基督教徒は幸いにして迫害に遭うの恐れなきことを得。これは神の恩恵《めぐみ》、昭代の貺《たまもの》といふべし。然れども時としては社交上政治上に於て、吾人の良心を試錬するの出来事起らざるにあらず。刀鋸鼎鑊《たうきよていくわく》の鍛練は幸いにして、今のクリスチャンの免かるゝ処なれど、紛々たる世上の俗論、道理もなき恐嚇、毀誉、褒貶、専制の王として最も畏るべき習慣等に対して、常に敏捷なる良心を維持し、分釐《りん》も神の聖旨に違わざらんことを勉め、断然濁世の習わしに反対するは、基督教徒の本色にして、今も尚お羅馬帝国の時代と異なるものなきなり。

先日高等中学校に於て、内村鑑三氏等が勅語に対して低頭稽首して拝をなさゝりしとて、一場の紛議を生じたることは、読者の記憶せらるゝ所ならん。吾人は今上陛下を尊敬す。陛下に対して敬礼を表せずんはあらず。其尊影に対し、勅語に対し、同一の精神に基づける敬礼をなしたればとて、其の智愚得失は暫らく置き、之を以て、偶像を拝するなり、十戒に背戻することなりとは容易に断言すること能わざるなり、然れども此事たるや。単独の問題として論ずべきものにあらず。其の連帯する処極めて広く、其の関係甚だ重大なるものあり。基督教徒は賢所に於て、参拝するも不可なきや。基督を信ずる海陸の将校士官兵卒は、靖国神社に於て神官の司る祭典に列《つら》なり、之に列なるのみならず、また拝を遂げ、祭文を読み百事基督教を信ぜざるものと共に其の祭に与かることを得るや。是等の問題は彼の内村氏等の事件と多少の関係を有するものにて、基督教徒の明らかに決定するを必要とするものなり。吾人は新教徒として、万王の王なる基督の肖像にすら礼拝することを好まず。何故に人類の影像を拝すべきの道理ありや吾人は上帝の啓示せる聖書に対して、低頭礼拝することを不可とす、また之を屑《いさぎよし》とせず。何故に今上陛下の勅語にのみ礼拝をなすべきや。人間の儀礼には、道理の判然せざるもの尠からずと雖も、吾人は今日の小学中学等に於て、行わるゝ影像の敬礼、勅語の拝礼を以て、殆んど児戯に類することなりといわずんばあらず。憲法にも見えず、法律にも見えず、教育令にも見えず、唯当局者の痴愚なる、頭脳の妄想より起りて、陛下を敬するの意を誤まり、教育の精神を害し、其の間に多少の紛議を生ずべき習慣を造り出し、明治の昭代に不動明王の神符、水天宮の影像を珍重すると同一なる悪弊を養成せんとす。吾人は敢て宗教の点より之を非難せず、皇上に忠良なる日本国民として、文明的の教育を賛成する一人として、人類の尊貴を維持せんと欲する一丈夫として、かゝる弊害を駁撃せざるを得ず、之を駁するのみならず、中学校より、また小学校より、是等の習俗を一掃するは国民の義務なりと信ずるなり、内村氏が其の初め勅語を礼拝せざりしは、宗教の点に於て疑がう処ありしか、或いは吾人と同一の考を抱きたるが為め、礼拝をなすに躊躇したるものか、いずれにもせよ、吾人は其の心術の高明なりしに感服せずんばあらざるなり。是と同時に氏等が其後に至りて、俄然之を礼拝し、金森、横井諸氏が之を賛成したりと聞きて、深く其挙動を怪しまざるを得ず。

第一高等中学校は、内村氏が志を改ためて、勅語を礼拝せるにも拘はらす、氏に勧告して辞表を差出さしめたりと聞く。勅語の礼拝は、如何なる法律、如何なる教育令によりて定められたることなるや。事の大小こそ異なれ、運動会等の申合せと毫も異なることなく、全く校長其他自余の人々の頭脳より勝手に案出せるものに過ぎざるなり。これが為に教授の職を解くに至る。吾人は其の理由を知るに苦しまざるを得ず。

勅語の拝読を慎むは、権威を重ずるの趣意に出しことならん。学校の秩序を保ち、慎重従順の風を養成するの結構ならん。其の策の得失は吾人之を論ぜず。然れども、この一事に重みを置き、之が為に一人の教諭を免ずるに至る程に熱心なる学校は、何故に生徒のモッブ然たるを不問に置くや、何故に壮士的の運動を擅にせしめたるや、何故に秩序を紊るの行を容赦するや、何故に生徒を恐れ、生徒の意を迎うるに汲々たるや。吾人は当局者のために頗る之を惜まざるを得ず。其の自家撞着の甚だしきに驚かざるを得ざるなる」

植村は、尊影や勅語を礼拝することが偶像礼拝とは必ずしもいえないが、要するにこれは児戯

に類するものであり、かくのごとき習俗の一掃は、国民の義務だと論じたのである。(18)

日朝キリスト者の比較

以上、内村の「不敬事件」に対する当時のキリスト者の主要な論説をやや詳しく概観した。それは近代天皇制と、キリスト者の関係をみるのに、きわめて重要だと思われたからである。それらのうち、勅語の宸署に対する礼拝を明確に是とするもの、非とするものは、いずれも少数で、内村はじめ植村、金森、横井など、大部分のキリスト教指導者たちは、礼拝は不可だが敬礼は宜しいという中間的な態度をとっている。

しかし、神社参拝は日本国民として当然の敬礼であって、キリスト教における礼拝には当らないという日本政府の甘言を拒否して、多くの犠牲者を出した朝鮮人キリスト者に較べると、これら日本人キリスト者の態度は、きわめてあいまいであり、天皇制と妥協するものといわなければならない。だいたいどこまでが敬礼で、どこから先が礼拝か、その間の区別は、どのようにして、つけるのか、これでは、天皇制に対して、効果的な抵抗は不可能である。

では、両民族のキリスト者の間に、なぜ、このような差を生み出したのであろうか。それは、両民族のキリスト教信仰の深浅のみの問題ではないとおもう。韓晳曦《ハンソクヒ》がいうように、朝鮮人キリスト者の死を賭して闘った神社参拝拒否運動は、ただたんにキリスト者としての信仰の闘いであったのみならず、また朝鮮民族としての民族的抵抗でもあったのである。(19) 朝鮮人キリスト者にとって、天皇制に屈服することは、朝鮮人としての民族的自立を失うことを意味していたからである。

一方、日本のキリスト者、とくに内村、植村、金森、横井などの明治期におけるキリスト教の指導者たちは、すべて武士の子弟であり、いずれも明治以前に生まれ、黒船襲来にはじまる強い国際的危機のなかに育ち、民族的自立こそ、彼らの至上の民族的課題であった。したがって、ようやく、その民族的自立を達成しえた当時において、その国民的統合の基礎をなす天皇制を否定することなど、とうてい、できることではなかった。

朝鮮人にとって民族的自立を妨げる天皇制が、逆に日本人にとっては民族的自立の基礎であったというように、民族的自立と天皇制との関係が、朝鮮人と日本人とでは、逆転していたのである。しかし、日本人にとっても、実は、天皇制の否定なくして、キリスト者としての自立もまたありえなかったことはいうまでもない。朝鮮人キリスト者に較べて近代日本のキリスト者の力が弱かったのはこのことによる。

第五章　明治国家とキリスト者

内村の愛国心

大日本帝国憲法の制定によって成立した近代天皇制に対してキリスト者は、まず、その冒頭、内村の「不敬事件」を惹き起したが、その後も、明治期には、日清・日露戦争、日韓併合など、国家的大事件が続発し、その都度、天皇制とキリスト者との間には、緊張関係がみられた。

日清・日露戦争とキリスト者の関係については、まず第一に内村の名を挙げなければならないが、それに関連して、内村の愛国心について述べておくことが必要であろう。「不敬事件」の直後、ほとんどの新聞、雑誌は、内村を国賊、非国民として攻撃した。当時の状況においては、内村の行動が民族的自立を危うくするものと思われたことも、無理はなかった。そのような中にあって、新聞『国会』は、ほとんど例外的ともいえる内村に対して好意的な次のような記事を掲げた（一八九一年一月二九日号）。

「第一高等中学の不敬事件　去る九日、第一高等中学校に於て勅語奉読式を行いし節、同校教員なる内村鑑三氏が　至尊の御写影に対し敬礼を行わざりしことにつき、世間種々の攻撃を加うる者あれど、今聞く所に拠れば内村氏は性来頗る狷介《けんかい》剛直なる人にして、己れの確信する所は仮令世間にて如何に評するも、断じて之れを決行して少しも意に介せざる風あり、故に其友人等には戇直《たうちよく》の二字を以て氏を評する者ありと云えり、然れば氏が勅語奉読式節敢て敬礼を行わざりし者は、別段、勤王心の無き杯と云えることには非ずして、唯自己は　至尊は固より尊敬すべきも、一片の紙には礼拝すべからずと基督に教えられたりと云える一義を、何処迄も徹達せんとしたる者にて、嘉すべき事には非ざるも、氏の教の為めに、本心を枉げざる処は、吾輩、非基督教者より見るも、尚憐むべき者なきにあらず、氏が勤王心に富める事は、其嘗て新潟学館《〔ママ〕》〔北越学館〕の長たりし節、多数なる外国教師の抗論を排撃して、倫理科に孝経、大学を教科書となし、或は忠君憂国の情を生徒の精神に発揚せしめんと鋭意尽力したる事より見れば、氏が勤王心無き抔とは諸友人の信ぜざる所なりと云う(20)」

内村の「勤王心」について、友人たちのあいだでは周知の事実であった。にもかかわらず、国民一般は内村の「不敬」を攻撃してやまなかった。以後、数年間、内村は、日本中、枕する所のない状態においやられた。事件後二年、一八九三年二月、内村は、最初の著書『基督信徒の慰』を出版したが、その「第二章　国人に捨てられし時」に、内村の国家観が明瞭に示されている。次に、その一節を掲げよう。

「ア丶今之を謂て何をかせん、斯く記するさえも余が陰然と余自身を弁護しつ丶ありと余の愚を笑うものもあらん、今は余の口を閉づべき時なり、而して感謝すべきは余は黙止し居るを得べければなり、勿論、普通の情として忍ぶべきにあらざるなり、余は余の国人を後楯となし力めて友を外国人に求めざりき、余は日本狂と称せられて却て大に喜悦せり、然るに今や此頼みに頼みし国人に捨てられて、余は皈るに故山なく、需むるに朋友なき至れり、如斯ありしと知りしならば友を外国に需め置きしものを、如斯ありしと知りしならば余の国を高めんが為めに強く外国を譏らざりしものを、余の位置は可憐の婦女子がその頼みに頼みし良人に貞操を立てんが為め頻りに良人を頌揚たる後、或る差少の誤解より此最愛の良人に離縁されし時の如く、天の下には身を隠すに家なく、他人に顔を会し得ず、孤独淋しさ言わん方なきに至れり。

此時等当て嗚呼神よ、爾は余の隠家となれり、余に枕する場所なきに至て余は爾の懐に入れり、地に足の立つべき処なきに至て我全心は天に逍遥するに至れり、周囲の暗黒は天体を窺うに当て必要なるが如く、三階の天に登り、永遠の慈悲に接せんと欲せば、下界の交際より遮断さるゝに若かず、国人は余を捨て余は霊界に受けられたり」(21)

内村の民族エゴイズム否定

内村は、その意に反して「非国民」として国民一般から捨てられ、孤独の身となって、いよいよ国を愛するの情を切々とうったえている。もちろん、内村は、神に対して罪をおかす（すなわち国家神道を肯定する）ことは、結局、日本国民に対して不貞を行なうことになるという考えは捨てていない。自分が日本国民から捨てられたのは「誤解」に基づくといっている。しかし、果して、この「不敬事件」は、日本国民の誤解から起ったものであろうか。

内村の、この「不敬事件」に対する弁明は、教育勅語は実行すべきものであって、礼拝すべきものではない、ということにあった。(22)しかし、教育勅語は、その冒頭の「朕惟フニ我カ皇祖皇宗」

からして、上述のような大日本帝国憲法第一条、すなわち神勅主義に基づく天皇主権を肯定するものであり、その論理をおしすすめていくならば、「天壌無窮ノ皇運ヲ扶翼」するとは、皇国臣民としての日本民族の民族エゴイズムを肯定することにならざるをえない。天皇制を肯定したままで、国家神道を否定しうると考えた内村の矛盾を、国民一般は正しく見抜いていたのであり、内村こそ、自己の矛盾に気づかなかったのである。このような内村の考え方は、当時の日本においては許されるべくもなかった。

では、なぜ、内村は国家神道は否定しても、天皇制は否定しえなかったのか。それは、上述のように、国民統合の基礎として果すべき天皇制の役割を、封建社会の末期に生を受けた武士の子として、明瞭に知っていたからである。そこで、内村は、その矛盾を最小限度にとどめるためには、天皇制への言及を最小限度におさえるほかはなかった。

しかし、そのような思想でさえ、国家神道の否定が天皇制の否定に直結する以上、国民一般に対して市民権を得ることはできなかった。内村は、その思想を、彼の個人雑誌『聖書之研究』およぴ、彼の下に集ってくる少数の人々（その多くは高等学校と大学において、西洋的教養を身につけた人々）のための閉鎖的な私塾において発表するほかはなかった。内村のこの矛盾は、そのまま、彼の弟子たちに伝えられていった（それについては後に改めて説明しよう）。彼の国家思想は、後年（一九二六年一月）、発表された「私の愛国心に就て」という随想において、最も明瞭にあらわれている。

「私に愛国心が有ると思う。私は幾回も思うた、日本人にして愛国心の無い者はない、私が有って居る丈けの愛国心は日本人たる者は誰でも有って居ると。然るに事実は私の此想像を裏切った。私は今日までに私が有って居る丈けの愛国心を有たない日本人に沢山に会うた。殊に教育ある日本人にして、其官立学校に学び卒業して後に官禄に由て生活する人等にして、日本国を思う事至って薄く、其利益と幸福との事に就て謀るも応ぜざる者を沢山に見た。私は今日に至って、私は日本人中決して愛国心の不足する者でない事を発見した。然り或る時は、日本人中に私丈け日本を愛する者の他に在る耶を疑わせらるゝことがある。

私は青年時代に於て私の外国の友人に告げて曰うた、私に愛する二個のJがある、其一はイエス（Jesus）であって、其他の者は日本（Japan）であると。イエスと日本とを較べて見て、私は孰をより多く愛するか、私には解らない。其内の一を欠けば私には生きて居る甲斐がなくなる。私の一生は二者に仕えんとの熱心に励されて今日に至った者である。私は何故に然るかを知らない。日本は決してイエスが私を愛して呉れたように愛して呉れなかった。それに係わらず私は今尚日本を愛する。止むに止まれぬ愛とは此愛であろう。

私が日本を愛する愛は普通此国に行わるゝ国を愛する愛ではない。私の愛国心は軍国主義を以て現われない。所謂国利民福は多くの場合に於て私の愛国の心に訴えない。日本を世界第一の国と成さんと欲するのが私の祈願であるが、然し乍ら武力を以て世界を統御し金力を以て之を支配せんと欲するが如き祈願は私の心に起らない。私は日本を正義に於て世界第一の国と成さんと欲する。『義は国を高くし、罪は民を辱かしむ』とあるが如くに、私は日本が義を以て起ち、義を以て世界を率いん事を欲する。如斯くにして私の愛国心はイザヤ、エレミヤ、エゼキエル、イエス、パウロ、ダンテ、ミルトン等に由て養われた愛国心である。今日の日本に有振れた愛国心ではないが、然し最も高い又最も強い愛国心であると思う。日本の為に日本を愛するに非ずして義の為に日本を愛するのであると言うならば多くの日本人は怒り或は笑うであろう。然し乍ら此愛国心のみが永久に国を益し世界を益する愛国心であると信ずる。私は愛国的行為として伝道に従事する。私はミルトンが英国を救わんと欲したような心持を以て日本を救わんと欲する(23)」

内村におけるアメリカの影響

ここで内村は、明瞭に民族エゴイズムに基づく愛国心を否定し、基本的人権に基づく愛国心を主張している。民族エゴイズムは日本民族の人権のみを認めるのに対して、基本的人権はすべての民族の人権をひとしく認めようとする立場であり、両者は両極端に位置する。この基本的人権の立場は、それから二〇年後、日本国憲法において、はじめて一般に認められるに至ったものであり、そこに内村の思想の時代を越えて、戦後思想と直結する先進性がある。しかし、一九二六年当時においては、民族エゴイズムを否定することは、結局、天皇制を否定することになることを、内村はおそらく自覚していなかったようにおもわれる。

では、内村は、時代に先じる基本的人権の考え方を、どこから得たのであったろうか。もちろん、それはキリスト教の信仰によってつちかわれたものであったが、直接的には一八八三年一一月から一八八八年五月に至る、五年間のアメリカ留学によるものである。建国以来、二〇世紀初めまで、アメリカのキリスト教は資本主義とともに手をたずさえて発達した。それは、労働力がつねに不足状態にあったこと、また、国内には未耕の土地が多く、新たに農業を始めようとするものは、容易に土地を入手し得たことによる。したがって、アメリカにおいては、キリスト教における基本的人権の考え方が、充分に発達することができた。これは、アメリカ・キリスト教の大きな特徴である。内村の滞在した一九世紀のアメリカにおいては、まだ、このようなキリスト教が支配的であった。内村は、しばしば、良い時代のアメリカ、とくに東部において、キリスト教に接したことを感謝し、アメリカを「第二の故国」とさえよんでいる。

　基本的人権は民主主義の発達にとって不可欠なものであるが、とくに異民族に対する場合（戦争、民族差別など）、その存否が明瞭にあらわれてくる。

　内村が、その生涯にわたって、一貫して非戦論を主張しつづけたことは、よく知られている。次に、その最も代表的な論文「余が非戦論者となりし由来」（一九〇四年）を掲げよう。

　「私も武士の家に生れた者でありまして、戦争は私に取りましては祖先伝来の職業であります、夫れでありますから私が幼少の時より聞いたり、読んだりしたことは大抵は戦争に関することでありました。源平盛衰記、平家物語、太家〔平〕記、さては川中島軍記と云うように戦争に関わる書を多く読んだ結果として、私も終《っ》い此頃まで、戦争の悪いと云うことが如何しても分らず、基督教を信じて以来茲に二十三四年に渉りしも、私も可戦論者の一人でありました、現に日清戦争の時に於ては、今とは違い、欧文を取て日本の正義を世界に向って訴えんとするが如きものは極々少数でありました故に、ヨセば宜しいのに、私は私の廻らぬ鉄筆を揮いまして、『日清戦争の義』を草して之を世に公にした次第であります、カーライルの『コロムウエル伝』を聖書に次ぐの書と見倣しました私は正義は此世に於ては剣を以て決行すべきものであるとのみ思いました。

然るに近頃に至りましては、戦争に関する私の考えは全く一変しました、私は永の間、米国に在るクエーカル派の私の友人の言に逆いて可戦説を維持して来ました。然るに此二三年前頃より終《つい》に彼等に降参を申込まねばならなくなりました、或人は是れが為めに「変説」を以て私を責めますが、ドーモ致し方がありません、私は戦争問題に関しては実に変説致しました、（中略）

日清戦争の結果は私にツク〴〵と戦争の害あって利のないことを教えました、其目的たる朝鮮の独立は返《かえっ》て危くせられ、戦勝国たる日本の道徳は非常に腐敗し、敵国を征服し得しも故古川〔河〕市兵衛氏の如き国内の荒乱者は少しも之を制御することが出来ずなりました、是は私が私の生国なる日本に於て見た戦争（而かも戦勝）の結果であります、若し其れ米国に於ける米西戦争の結果を想いますれば是よりも更に甚だしいものがあります、米西戦争に由て米国の国是は全く一変しました、自由国の米国は今や明白なる圧制国とならんとしつゝあります、現役兵僅かに二万を以て足れりとし来りし米国は今や世界第一の武装国とならんと企てつゝあります、爾うして米国人の此思想の変化に連れて来た彼等の社会の腐敗堕落と云うものは実に言語に堪えない程であります、私は私の第二の故国と思い来りし米国の今日の堕落を見て言い尽されぬ悲歎を感ずる者であります、爾うして此堕落を来たしました、最も直接なる原因は言うまでもなく米西戦争であります、其他英杜《ト》戦争の結果に就ても多く言いたいことがありまするが夫れは他日に譲ります。

私を非戦論者になした第四の機関は米国マッサチューセット州スプリングフィールド市に於て発行せらるゝThe Springfield Republicanと云う新聞であります、私は白状します、私は過去二十年間の此新聞の愛読者であります、斯くも永く私が読み継けた新聞は勿論日本にもありません、私の世界智識の大部分は此新聞の紙面から来たものであります、此新聞は私の見た最も清い最も公平なる新聞であります、之を読んで頭脳が転倒するような患いは少しもありません、常に平静で常に道理的で、実に世界稀有の思想の清涼剤であると思います、爾うして此新聞は平和主義者であります、絶対的非戦論者というではありませんが、併かし常に疑いの眼を以て総ての戦争を見る者であります、彼は彼の国人の与論に反対して痛たく非律賓《フィリッピン》群島占領に反対しました、彼は常に英国帝国主義の主導者なるチャムバーレン氏の反対者であります、爾うして此新聞を二十年間読み継けまして、私も終に其平和主義に化せられました、其紙上に於て世界有名の平和主義者の名論卓説を読みまして、私の好戦的論城は終に全く壊されました、或人が此新聞を評して『其感化力に新約聖書のそれに似たるものあり』と言いましたが、実に爾うであります、『スプリングフィールド共和新聞』は其二十年間の説教の結果、終に私をも其信者の中に加えました」(24)

この論文は、日露戦争の真最中に発表された。彼の基本的人権思想が、生々と伝わってくる。とくに彼を民族エゴイズムから脱却せしめた最も大きな根拠が聖書にあったことは明らかであるが、それについで大きかったのが「スプリングフィールド共和新聞」に表象されるように、アメリカの自由主義思想であったことを知りうる。

日露戦争とキリスト者

一方、当時の日本のキリスト教界の日露戦争にたいする態度は、どうであったか。さきの日清戦争を義戦として、国民の志気を鼓舞し、第一線の兵士の激励慰問をするため、「清韓事件基督教徒同志会」をつくって活躍した本多庸一は、ふたたび軍隊の慰問、国民の志気鼓舞、遺族の救恤などの事業を開始した。本多が会長であった基督教青年会同盟、小崎弘道が会長であった福音同盟会なども、これに参加し、大多数の国民とともに必死になって、戦争勝利のために努力した。海老名弾正もまた、この度の戦争は立派に日本側に正義があり、そのために戦うことは、キリスト教の立場よりしても当然許されるとして、熱心に国民の志気、愛国心の鼓舞につとめ、有力な活動を行なった(25)。日露戦争当時における海老名の説教を次に掲げよう。

「われわれが真善美とするものの根底は力である、その力が真となり美となって輝き出で、善となって世を支配するのである、力の観念を取り去った真善美は、それは亡国の真善美である。何人にもあれ、力を有するものは神を有するものである、殊に高尚なる力、すなわち霊的能力を有するものは、それだけ多く神を有しておるのである、われわれが神を慕うというのは、完全なる力をえんとするのではないか。

私はここにおいて、少しく時局の問題に説き及ぼさずしてはいられない。『優強なる軍隊のあるところに神在ます』と或る人が嘲弄的に放った言であるが、私はその中に真面目なる真理があると思う。今日本とロシアとが互いに相対抗して戦いを交えておる、われはわれの力を自覚し、彼また彼の力を自覚しておるであろう、しかも彼の自覚しておる力とわれの自覚しておる力と、いずれが優っているかは勝敗の別るる点である。そうしてその力の相違は国土の大小とかもしくは人口の多少とかいうことではない、その力の品質いかんに存することである。(中略)われわれが多年磨きに磨き来たった知力は決して彼に劣らない、必ずや彼の上に出でおるということ。しかのみならず、その精神力道義力においても、報国奉公の精神、忠君愛国の熱情において、彼に擢んで、かつ人道を重んじ、公道に準拠し、これがために戦い、これによって戦うという道義の念も、われの方が進んでおるようだ。もしそれこの自覚にして慥かにその真をえたものならば、神は慥かにわれわれの方にござる。

しかし、も少しやって見なければ分からぬ、われわれに果たしてその目的を遂行し、初一念を貫くの勇気がどれだけあるか、永き困難や一時の頓挫に堪える忍耐力がどれだけあるか、もしこれにおいて彼スラブ民族に敵することが出来なければ、或いは敗を取るかも知れぬ。今が双方の宗教心の試めし時だ、いずれの民族が多く神を味方としておるか、語を換えて言えば、いずれに多く神が内在してござるか、神の神たるところがいずれの方に多く実現せられておるかは、この戦争によって試めされる。

今や実にわが日本民族が一大発展一大飛躍をなすべき時である、われわれがこの際におのおの自覚し、おのおの発揮すべきものは、神の霊能の力である。殊にイエス・キリストのうちに生ける神の力である。彼の人品は今さらにここに言うまでもないが、彼はいかにして勝利をえたか、その高潔純全なる品性と霊の力とをその勝利の月桂冠として羸《か》ちえたかというに、一言にして言えば、彼は大苦痛大苦悶によりて勝ったのである、その力をえたのである。わが日本民族の将来は、そが大苦悶大苦闘をなしうるや否や、これを甞めて甞めて甞めて耐えぬくことが出来るや否やに繫っておる。これは一面から言えば堪えられぬところだ、その愛するものを見す見す修羅の巷に送る父母妻子の心、その愛するものを冷やかなる運命の手に残しつつ、かつは前途洋々の望みを投じ去って、生別死別の行程に上る兵士の心、女性の涙は注ぐに余り、丈夫また涙なきにあらず、これを離別の間に注がざるにおいて、かえって辛きものがなかるまいか。

日本人の優れたる人物が随分、弾丸の的に死なねばならぬ。瘴煙の詛いに斃れねばならぬ、(中略)しかし、覚悟じゃ、かくのごとき運命に出遇わねばならぬ婦人方も、また決して少なくないであろう、これ実に非常の苦痛だ、そうしてこれに勝つことが出来るか、一種上なる力だ、すなわち霊の力だ、それでいける。もしわれわれに報国奉公の精神、人道の念があるのでなかったならば、どうしてその愛するものをすてて召集に応ずることが出来よう、どうしてその愛するものを戦場に送ることが出来よう。（中略）われわれの生命は実に千金万金をもって買うことの出来ぬ尊い生命だ、われわれの身体はこれを父母に享け、これを祖先にうけ、否しかのみならず、これを天地の神よりうけて、二千五百年、祖国の歴史の生命はその血管に流れておる。これに霊がある、この霊はこれを考うれば考うるほど大なる価値を有っておるものである。けれどもわれわれは敢えてこれをすてる、かくのごとく尊い生命ではあるが、この場合において敢えてこれをすてる、さらに高いもののためにこれをすてるのである。われわれはこれを捨てるのは惜しい、誰がまたその子を殺し弟を殺し、その親、その夫を死にわたすことを惜しまぬものがあろうか。人もしその夫を失い、その子を失ったならば、早やこの世に生き甲斐のないものである、けれども涙を呑んでこれを捨てる、どうしてそれが出来るか、わが生命よりも、夫よりも、子よりも、これに対する愛情よりも、さらに尊い霊の力によってのみ出来ることである。（中略）この苦痛に堪え、この苦痛に勝つには、何で出来る。ただ一つの高い力、すなわち神の力でなくては出来るものじゃない。

今日は人々がおのおのその至誠に帰るべき時である、至誠の根本たる神に立ち返り、その霊能の力によって各自《おのおの》の生命を国家に献げ、その愛するものの生命を国家に献ぐるならば、わが日本国民は這回《このたび》の戦争によって真の大国民となることが出来る。

ここに始めてわれわれは活ける神を自覚し、崇敬し、また自ら神殿《かみのみや》となることが出来るのである(26)」

日露戦争と植村

このような情勢のなかにあって、植村はどのような態度をとったか。日清戦争当時、本多の提唱によって作られた「清韓事件基督教徒同志会」に、植村もまた、井深梶之助、三好退蔵、竹越与三郎、宮川経輝、山路愛山らと委員に選ばれ、各地に遊説し、大いに会の趣旨実現に努めた。

しかしながら、かれは、国民の大半が、ただ戦争そのものに熱中し、戦果に酔い、或いは多くの論者がいたずらに中国を敵愾、蔑視し、国策に盲従、雷同し、自国第一主義の国粋的、反動保守の傾向に流れんとするのを大いに憂え、そのゆきすぎをむしろ牽制し、あくまで道理、大義に拠って立つべきこと、キリスト教徒こそこの戦争遂行中において、道理、大義を推進する中堅となるべきこと、これがために戦争中といえども、気兼ねて伝道をすることなく、いな大胆無遠慮に独立独歩正しい福音の伝道に邁進すべきことを主張した。日清戦争が有利な講和条約に終ったとき、一八九五年四月二六日の『福音新報』において「平和の恢復」と題して次のように論じた。「戦争に勝って我々は喜ぶも、その反面シナの国民の困難は大なり。犠牲が高く払われている。（中略）神よ、願わくは彼の清国人民を戦敗屈辱のうちに祝福し給え。我等は清国の更生の為に在天の父に哀訴せざるべからず。（中略）我が帝国人民がその占領地に於て、能く大植民を行い、異種の人民を教育して高尚の地位に進ましめ十分にその文明の材料を開発する資格を有するや否や。意うに世界は戦争に於ける日本の技倆よりも寧ろ此等の平和的並びに精神的の手並如何にと片唾を呑んで見物しつつあるべし。此れ日本国民たるものの最も深く注意すべき所にあらずや。（中略）戦争は基督教徒をして其責任の重きを感ぜしめたり。然れども平和の恢復は之をしてその責任の愈々大に且つ愈々広きを感ぜしめたり」

翌五月『福音新報』は発行禁止を命じられた。[27] 日露戦争においても、植村は非戦論の側には立たなかったが、同時に、本多はじめキリスト教界の代表者たちのように、ひたすら政府の戦争政策に協力し、国民の士気を戦勝の一途に鼓舞するような態度もとらなかった。自国に由来する野蛮性をすて、高きキリスト教の精神によって歩む国家とならなければならないと主張した。一九〇四年五月二六日の『福音新報』所載「時局小観」の一節を次に掲げる。

「極東に於ける日本の勢力は東洋人民の進歩と発達とに利益を与うるのみならず、汎く世界人道の開展に貢献する処多かるべき事明白とならば、帝国に対する黄禍の危疑は全く無根の逆信にして疑心暗鬼を生ずるの類と排斥せらるべし。

亜細亜的武力古より未だ曽て人道の発達に貢献せしものあるを見ず。忽必烈（クビライ）も帖木児（チムル）も文明を害したるのみにて、少しも人類の進歩に利益を与えざりしなり。マホメット教民の勢力は文明の敵と見做すの外なきに非ずや。而して新日本の勢力は之を一の除外例と見做すべきものなりや。吾人は然りと答う。露国人等は然らずと弁ず。黄禍説の議論紛々として玆に生ずるを見る」

「天祐を喜ぶと同時に神を畏るゝの念深く、従つて己の欠点多きを見出し、大いに精神を振起し、益々奮つて天の恩寵に副わん事を努むる国民は福なり。天祐を器械的に解釈し、氏神の氏子に於けるが如く、自然の関係如何にしても断絶すべからず、神の加護は人道に頓着なく常に己の頭上に宿るものと妄信せば、驕慢にして自ら顧みるを知らず、相率いて案外なる禍に陥ることあらん。驕るもの久しからず。天祐なる語を宗教的に深き意味に解し、虚心以て謙遜の道を学ぶは目下の必要に非ずや。（中略）東西文明の融合は未だ日本に於て完成せられ非ざるなり。我国民が小成に安ぜず是より益々精神的方面に心を傾け、真に西欧文明の真精髄を同化するに至らば、亜細亜の更新も期して待つべく、黄人の天分如何に豊富なるやを証明し、東西融合して茲に人類の歴史を新たに是より高き平面に進転せしむるの機会を作り、世界の状態を一変するに至らんとす。帝国の使命甚だ重大なりと謂わざるべからず」(28)

しかし、内村、植村などの少数の例外を除き、当時の日本人キリスト者において、基本的人権の考え方は、ほとんど認められない。日清・日露戦争時、日本国民においては、民族的自立への一般的思考はきわめて強く、そのことはキリスト教の代表的指導者たちにおいても、ほとんど変らなかった。したがって、彼らを、真の意味においてキリスト者とよぶことは困難である。彼らには、天皇制を批判し否定することなど、考えることさえできなかったのである。

日韓併合と植村

戦争と並んで、基本的人権思想の存否が明瞭にあらわれるのは、国の内外における差別の問題に対してである。ここでは、とくに朝鮮人差別について考えてみよう。上述のように、近代天皇制は、民族エゴイズムを肯定するものであったから、本質的に朝鮮人差別を肯定するものであった。したがって、当時におけるキリスト教指導者たちの日韓併合にたいする態度は、そのまま朝鮮人差別にたいする態度と対応する。

一九一〇年八月二二日、朝鮮は国家として地図の上から消され、日本の植民地となった。政治家や学者は口をそろえて日韓併合をたたえ、むしろ、遅きにすぎたとした。一般の国民も「併合」を熱狂的に歓迎した。「併合条約」公布の八月二九日から三〇日にかけて、東京はじめ全国各地で提灯行列が行なわれ、花火を打ちあげ、祝賀会をひらいて「併合」が祝された。それに反対したのは、社会主義者の中のごく一部の人々にすぎなかった。

クリスチャンも一般国民と全く同様であったが、その中で、やや異彩をはなっているのが植村正久である。彼は「併合」直後に二つの論文を『福音新報』に発表した。まず第一論文「大日本の朝鮮」(『福音新報』七九二号、一九一〇年九月一日)の一節を引用しよう。

「韓国は遂に帝国の版図に併合せられたり。(中略)ただ帝国自己の存在を安全にし、禍乱を根絶し、東洋の平和を維持するに必要なるがためのみならず、日本は彼の半島を開発し、その人民を誘掖し、東洋の進歩に貢献し、広く人道を世界に興起せしむべき天職を帯び、この大任を負担するに最もよく適当せる、すなわち既に神より『先祖たちに』朝鮮国を『与えられ』たるものなるがゆえに、これを併有するの権利有るなり。半島の人民が自ら経営するよりも、また自余の外国がこれを企つるよりも、その歴史的の関係、地理上の位置、帝国人民の性格その天才および能力、先覚人民たるものの責任、特に神に由りて定められたらんかとも覚しき国民的親権者たるの本分などの事情よりすれば、日本が進んで朝鮮を併有しこれを扶植して、人類の進歩に貢献すべきは、道理において然かあるべきことなりと言わざるべからず。日本は韓国の併有において、自己の親権を行なえるものと解釈せらるるを最も至当なりと信ず。国の興亡盛衰は獣力の勝敗のみにあらず。然か見ゆる成行きの根底にも、おごそかなる道徳の関係伏在して、消長の分かるるまた精神的の実状に淵源するを見るべし。かくのごとく観念することを得るがゆえに、亡国の悲劇もまたもって祝するに足るべく、たとい甲人民の歓呼は乙者の慟哭を意味すべしとなすとも、もって満足の意を表することを得べし」

といって、一応、「併合」を肯定した上で、将来の日本の朝鮮統治が、朝鮮人に自由を与えるよりも、むしろ、彼らを奴隷化するのではないかという、疑惧の念を表明している。

「日本が朝鮮の上にその親権を行なうは、果してその一千万人民の進歩を意味するや。日本の勢力は善政を施し、人民を化育して、向上せしむるに足るべきや。吾人は日本が台湾において、殖産工業の方面に盛んに発展しつつあるを見たり。しかれどもその三百万の島民を向上せしむるの効果いかんを問うを禁ずること能わず。朝鮮においても土着人民の田野を或いは正しく或いは邪《よこしま》に収得し、農を興し、業を企て、山を拓《ひら》き、鉄路を通じ、かつ或る種類の教育を行なう台湾のごとくならんことは少しも阽《あやぶ》むを要せざるべし。しかれども帝国の威力は真によく新領土一千万の人民を撫育し、最も建全なる方針に向かって高上せしむるを得べきや。日本の勢力は自由を意味するか、はた弱者を奴隷視せんとするか。吾人はこれらの疑問に対して、事実上立派なる答を与うることを期し、これがために議論し、批評し、かつその機会を与えらるる限りしきりに努力せざるべからず。

大日本の新領土たる朝鮮は、露国および清国と境を直接するのみならず、或る意味においては、日本が従前に比ぶれば、一層直接にキリスト教と交渉すべき事端多きを加うるに至らんとす。日本はいわゆる一個の異教的《ヒーズン》勢力として御幣を振り立て、神主の白衣を翻し、偶像祭の鼓吹者として、在朝鮮の外国宣教師およびその下に在る幾万の朝鮮人と接触せんとするか。日本の勢力は朝鮮のキリスト教といかなる関係を有せんとするか。日本の教育制度およびその施設は朝鮮のキリスト教をいかに待《あしら》わんとするか。こは多くのわが国人が想像しつつあるよりも重大なる問題にして、帝国の将来に深刻なる影響を及ぼすものなるべし。

ここにおいて吾人は朝鮮の併合を祝すると同時に、深く戒慎して、かつ望みかつ恐れ、ひたすら天祐に依らんと欲するの情転た切なるものあるなり(29)」

次に「朝鮮のキリスト教」(『福音新報』七九三号、一九一〇年九月八日)をみよう。これは政府によって発売禁止処分を受けた。

「在朝鮮カトリック教のことは暫く措き、プロテスタント宣教師の事業を見るに、その日本の伝道よりも新しきにかかわらず、進歩の勢いは目の醒むるほど盛んである。多数の進教者〔ママ〕が続々起こる。日本のプロテスタントキリスト教の教会堂には平均三百名以上の集会者を見出すことが出来ぬのに、朝鮮にてはこれに数倍せる聴衆が多くの会堂に溢るるという有様で、もし日本の或る教派における伝道のごとく容易に洗礼を行ないでもするならば、入会者の数更に多大なものとなるであろうが、洗礼を受くるまでの試みを中々厳重にして居っても、その運びに至るもの引きも切らず、驚くべき多数を示して居るそうだ。(中略)

由来朝鮮のキリスト者には排日思想を抱くものが多いという取り沙汰が世間に流布された。日本政府に向かって反抗的態度を取ったり、始終この方の処置に向かって障害物となる向きも朝鮮キリスト教徒の間にしばしば見受けられるという話を耳にしたこともある。我らはかかる風説の虚実を確かめて居らぬ。よし事実ならしむるとも、ここに到れる原因とその動機とはいかなるものであるかを研究せねばならぬ。これを研究せずして、遽《にわ》かに非難のみするは好ましからぬ所為である。いずれにしても朝鮮のキリスト者が国を憂え、独立を重んじ、他の威力に対して反抗するの気勢を保つということが事実ならば、たとい根が浅く、中学生徒の無暗に威張るような生意気であるにもせよ、高尚な精神的方面から人道の側に立ちて、これを批評するならば、かえって末頼母しく、後世恐るべしとでも言うが適当であるまいか。敵の健気な振舞にも感服する日本の武士道から言っても、そうであろう。もしキリスト教の外国宣教師が朝鮮人民の間に屈従的の精神を鼓吹し、無暗に柔和《おとな》しく、何でも構わず太平無事の人民を養成したとするならば、これは日本人の気象として感服することの出来ぬ始末である。それどころか、これではキリスト教は国民の害であると認めて極力これに反対する態度を取るに至るが自然の結果であろう。またかかる場合に非難をされても弁解の辞柄を見出し難いであろう。朝鮮のキリスト教徒の中に或る人々のいうごとき気概でもあるならば、当分この方には少しく不便ではあるが、末を楽しんで歓迎すべきである。朝鮮八道せめては少数でもこういう程の者無くしてどうなるものか。我々は朝鮮のキリスト教を論ずる者に雅量乏しきを残念に思うのである(30)」

日韓併合と海老名

海老名の場合も「併合」を肯定しているが、植村とちがって、その結果に何ら疑いを抱かず、むしろ朝鮮人の同化に対して日本人クリスチャンの果すべき役割を積極的に主張している。海老名は「併合」当時、四つの論文を発表したが、次に、それらを一括して考察する。彼は朝鮮人を「同一国民族」「新日本人」とよび、「朝鮮は日本の一方部分である、その人民は我同胞である」から、「その教化の如きも外国人に一任することなく、自から担任して起つべきは論を待たない(31)」。しかも、「此クリスチャンが悉皆日本人の教化によるものならば、彼等は日韓同化の最も有力なる媒介者たるべきは、吾人の信じて疑わざる所である(32)」。したがって、

「朝鮮伝道は一面に於ては新日本人の同化に外ならぬ、教育家たり政治家たり、実業家たり、宗教家たるを問わず、宜しく協心同力すべきである。政治たり、教育たり、実業たり、宗教たり、一として大国民の事業たらざるはない。その一を欠くは是れ自から不慮の禍を免くものである。由来宗教といえば、全く出世間の事にして、実業にも、政治にも、教育にも、関

心なきものと思惟した。焉んぞ知らん、宗教の有無又は善悪は社会万般の上に大反響を挙くるものなるを。朝鮮の基督教問題は苟も国家を愛する者の心外に放棄し得ざるものである。故に朝鮮人の教化は独りクリスチャンの専有事業にあらず、日本国民の事業たるを忘れてはならぬ(33)」

この主張は、後に述べる組合教会朝鮮伝道部主任、渡瀬常吉の朝鮮伝道方針と直ちに連なるものである。ただ渡瀬とことなり、むしろ植村に近い点は、キリスト教の伝道によって朝鮮人の独立自治の元気を鼓吹すべきだとする点である。たとえば、

「基督教は独立特行を旨として、社会に於ける個人の真価を発揮する。個人が社会の感化を受け、又その恩恵を受くべきことは、固よりその所なれども、しかも個人にして自修自立、自営自治の精神がないならば、断じて強健なる社会を形成することを得ない。此の如く基督教は人類的世界的精神の感化を重要視し、博愛共同の事業を経営するものなれども、亦各団体の独立自治を重視するものである。国民は政治上のみならず、経済上のみならず、教育上のみならず、宗教に於ても自治すべきものである。その幼稚なる時期に於て他の助力を受くるは、亦已むを得ざることなれども、苟も一大国民たるものは、飽くまでも其自治の能力を発揮するにあらざれば、自立することはできない。唯できないのみならず、他の国民と協力

することを得ないのである、国民の霊能を発揮する宗教に於ては寧しろ卒先して此独立自治の元気を鼓吹すべきである。吾人が新日本人に希望する所亦之に外ならぬ[34]」

「朝鮮人を同胞とした以上は、之に理想の活火を与え、前途洋々の大希望を起さしむるにある。それが生意気となるを恐れてはならぬ[35]」

ただ海老名は、この朝鮮人の独立自治の元気が、「日韓併合」に反対して、民族独立の方向にむかうことには反対する。

「朝鮮の基督教徒がその天職を自覚し、その職令を遂行し、以て神の聖旨の成就に尽瘁するならば、彼等は独り半島一千二百万の同胞を指導する光栄を荷うのみならず、又日本全島の基督教徒と協心同力して、帝国六千五百万人の道光たらんこと、尽し亦難きにあらざるべし。果して此の如くなるを得るならば、朝鮮人は政治界に失敗したとても、精神界に於て勝利者たるを得るであろう、是れ真の光栄でなかろうか。精神界に於て勝利者たるを得るものは、亦実業界に於ても、政治界に於ても、早晩、優勝旗を得るに至らんは、万国の事実に徴して明かである。基督言わずや、爾曹先ず神の国とその義とを求めよ、さらばなくてかなう間敷きものは必ず与えらるべしと。精神界は本なり、実業界と政治界とは末なり、吾人は朝鮮の基督教徒がその識見を開き、専心一意伝道に従事せんことを望まずんばあらず。

政治的野心を伝道上の運動に混入して、政治的運動の機会を作らんと欲するものなきにあらず。是れ正しく綿羊の毛皮を服する豺狼にして、基督の罪人である。吾人は此の如き野心家が覿面に失敗して、天罰を蒙らんこと、鏡に懸けて見るを得。畏れざるべけんや、慎まざるべけんや。日本に於ても嘗て政治上の野心を懐きて吾人の中に入り来り、福音を利用して、その政治的野心を貫かんと企てたるものもあった。皆中途にして失敗し、逆賊となりて、戦死したるものもある。(中略)

基督は敵愾心の役者たるべきものでない。基督の福音は博愛のそれにあらずや。又、基督の国はこの世にあらず、真理の国である。朝鮮の基督教徒はよしや野心家を失うことあらんも、慷慨家を失うことあらんも、意とすべからず。吾人は励んで基督の福音を宣伝すべきである。吾人は熱禱を捧げて伝道し、敵愾心を霊化して博愛心となし、政治的野心を去って、公明正大なる基督魂を受くべきである。是れ朝鮮をして精神的に偉大ならしむる所以ではなかろうか。此の精神的偉大を発揮し来るときは、日鮮の基督教徒が大日本帝国に於て優勝旗を得んことは、吾人の信じて疑わざる所である。日鮮の基督教徒は帝国中に帝国を発揮するものである。朝鮮人にしてもし帝国の内部に胚胎する霊的帝国の臣民たるを得んか、是れ取も直さず、将来の大日本帝国を形成する忠臣義士たる人である。是れ吾人が朝鮮の基督教信徒に望む所にして、彼等と偕に終始行動を同うせんと欲する所である。吾人は基督の霊を有する朝鮮の基督教徒が吾人の真意を諒察し、勇奮猛進、吾人と協心同力し、以て帝国の同胞をして基督の博愛心に充満する世界的国民たらしむるの責任を自覚せんことを欲する、是れ吾人の祈願して止ざる所である。是れ独り東洋大帝国の忠良の臣民たるのみならず、同時に神の国の忠臣たる所以ではなかろうか。是れ吾人基督教徒が神より賦与せられたる使命にあらずして何であろう。吾人はしか確信するが故に、敢て朝鮮基督教徒の覚醒を促さんと欲するのである(36)」

海老名のこの主張は、朝鮮基督教徒の覚醒を促すどころか、逆に覚醒をねむらそうとするものではなかったか。

以上の海老名の主張に最も忠実に従ったのが、海老名の率いる組合教会であった。すでに組合教会は一八九九年の定期総会において、朝鮮人伝道を決議したが、一九一〇年四月、海老名は神戸教会牧師渡瀬常吉とともに朝鮮に渡り、朝鮮人伝道を開始した。

第六章　大正デモクラシー期のキリスト者

日本組合教会の財政的独立

近代天皇制成立以後も明治時代には、天皇制とキリスト者の間には、緊張関係があり、キリスト教出版物が、何度か発売禁止や発行停止の処分を受けた。ところが、大正時代に入ると、天皇制とキリスト教の間に、緊張関係がほとんどみられなくなる。それは、有能な明治天皇から無能な大正天皇に代ったということ、二つの戦争を経て、日本は世界の一等国となり、産業革命もほぼ終了して、国民の生活も一応の安定に達したこと、それにともなって、大正デモクラシーとよばれる民主化が主張されるようになったことなどによるものである。

もちろん、この時期の中頃以後、とくに十月革命の影響もあり、労働争議や小作争議の件数が急増し、労働組合や農民組合もできてくるが、このような動きに対して、キリスト教は、ほとんど、有効ななんらの役割も果し得なかった。なぜなら、日本のキリスト教は、アメリカのキリスト教の圧倒的な影響下に発達したものであるが、そのアメリカには、当時の日本におけるような地主・小作人問題も、それにともなう労働問題もなかったからである。

一方、明治末年、日本のキリスト教諸派は、相ついでアメリカからの独立を達成した。明治期における日本人一般、とくにエリートたちの緊急の関心が、民族的自立にあったことについては上述した。このことは、当時の日本人キリスト者にとっても同様であり、とくに武士の子弟であった指導者たちには一層痛切なことであった。日本のキリスト教が、精神的にも物質的にもアメリカ教会の絶大な援助の下に成立し維持されたことは周知の事実である。一九四一年四月二〇日から二五日まで六日間、南カリフォルニアのリバーサイドで開かれた日米キリスト者会議で、日本代表は「アメリカ教会への感謝状」を発表し、その中に次のように記した。

「開拓期にあなたがたの宣教師たちはわたしたちをキリスト教信仰に導き、日本帝国内のキリスト教運動の基礎をおくことを可能にしてくれました。それ以来、現在にいたるまであなたがたは多くの献身的な宣教師たちをおくり、わたしたちに惜しみなく財政的な援助をつづけてくれました。さらにあなたがたの祈りと同情的な関心はわたしたちにとって絶えざるインスピレーションと励ましでありました。わが国のキリスト教の前進のためにあなたがたがしたすべてのことにたいする、心からの感謝を表わす言葉がみつかりません(37)」

したがって、明治期の日本人クリスチャンたちの中には、アメリカ教会の援助によって立つ自分たちの日本の教会をきわめてふがいないものにおもい、それからの独立を強く希望するものも少なくなかった。そのような人々の中で、最も強くそれを主張したのは海老名弾正である。「日韓併合」当時、彼は次のようにいった。

「今更、朝鮮人教化の使命を外国宣教師より我に譲り受けんと欲するが如きは、無謀の企図というより外はない。日本に於ても尚、外国宣教師の指導を受け、又その伝道会社より補助を受くる教派もあるが故に、何の理由を以てしても、朝鮮人教化の使命を我に譲り受くる筈はあるまい。(中略)日本に在る教派にして新版図の教化に従事せんと欲せば、自からその独立の体面を明にすべきは、先決問題でなければならぬ。之れなくしては、我より進んで彼を教化する権利はない。朝鮮のクリスチャンには敵愾心に富むものもある、従って排日の気概に燃ゆると伝えらるゝが、或はそうかも知れぬ、吾人は之を聞きて怪しまない。しかも之を諭して我に同化せしめんと欲せば、之に倍蓰する所の気概と博愛とを以てしなければならぬ。

何時までも外国伝道会社に隷属するが如き根性を以てしては、如何にして彼等に独立自治の信仰を発揮せしむることができよう。日本の多数なる教派は、未だ朝鮮人教化の資格を持たぬ、豈に三十万の朝鮮クリスチャンを指導する資格あらんや。既にこの資格を欠いて居る以上は、何の理由を以て朝鮮人教化の使命を外国宣教師より我に譲り受くる権利があろうか(38)」

日本各派における独立自給精神は、海老名の属する組合教会が最も旺盛だった。たとえば当教会の日本基督伝道会社は、一八七八年一月に設立され、一八八二年頃からアメリカン・ボードより、全資金の二割ないし四割を年々援助されていたが、海老名はこれを完全にたちきり自給独立しようと努力し、ついに一八九五年末に、それを達成した(39)。

一八九〇年、新島襄の死後、同志社社長に就任した小崎弘道は、極力アメリカン・ボードよりの独立と学校の発展をのぞんだが、宣教師側の発言がなかなか強く、新島の生前は新島の徳望でとにかく融和していた宣教師との関係が、同志社独立問題が強まるにしたがい、だんだんと悪化し、ついにアメリカン・ボードのアメリカ本部は、一八九五年一〇月、委員を同志社に派遣して調査にあたらせたが、両者は信仰的問題で対立し、一八九六年四月には決裂状態となり、同志社の宣教師は総辞職し、同志社とボードの関係はまったく断絶した(40)。

日本基督教会の財政的独立

組合教会にくらべて、日本基督教会は、それほど独立自給論は強くはなかったが、植村正久は中でも最も強力な自給論者であった。たとえば『福音新報』一八三号（一八九四年七月）に「日本の教会はいかにして運転せらるるか」という論文を発表した。

「シナの軍艦が西洋の士官に依頼して、運転するという一事は、われらの嘲り笑うところなり。自家の技能と精錬とをもって、船艦を自在に使用すること能わずして隣国《りんごく》に誇り、武威を四方に輝かさんと擬するは誠に心なき次第なり。かくありては、他国人の侮りを禦《ふせ》がんこと思いも寄らざることとならん。

われらは支那軍艦の陋態を視て、これを賤《いや》しむに当たり、日本キリスト教の有様を思えば背に汗の流るるを覚えざるなり。五万のキリスト教徒は、伝道教育等において計画するところ少なからず。中にはその事業に誇らんとするものもあるなり。しかれども彼らの教会はいかにして運転せられつつあるか。彼らの教育は主として何人の維持するところなるか。われらはその過半が外国人に依頼するものなるを知る。ここにおいて彼キリスト教徒の無力なる何事をなし得んとの感想は、識者の間に潜めり。これ社会の具眼者がキリスト教徒を重んぜざる一原因なりとす。かくのごとくして、日本の伝道を成就せんとするも難いかな。ゆえにわれらは外国宣教師の伝道事業と同時に、日本人の独立伝道の盛んならんことを望む切なり(41)」

さらに、「明治二十七年最終の刊行に題す」に、次のように記している。

「福音新報は、一、二の外国伝道会社と商議し、その補助を獲るの約束に由りて創起せられたり。彼の外国伝道会社の諸氏が福音新報の創立と維持とに対して、かくのごとく厚意を表せられたるは、社員の永く銘記すべきところなり。しかれども福音新報がこの援助を受けしは、あえて彼の機関たるがためにあらず。正々堂々自家の所信に依りて神国を恢張するのほか他事なかるべきの素志にてありき。ゆえに外国宣教師およびその本国の教会に対しては、必要と認むる場合において遠慮なく評論を試みしことあり。これがために彼の一、二の外国伝道会社と福音新報との間にしばしば葛藤を生ずるに至れり。福音新報はただ外人に対して、かくのごとき態度を取りしのみにあらず、本邦のキリスト教徒、殊にその最も親密の関係を有する日本基督教会に対しても、独立にして忠誠なる朋友たりしのみ。未だかつて純然たる一派の機関として筆を執りしことあらざるなり。

かくて福音新報と彼の一、二外国伝道会社との不和いよいよ甚だしく遂に本年の夏をもって、全くその約束を絶つこととはなりぬ。ここにおいて福音新報は、その財政においても独立独行するの必要に出で遭えり。今や国力著しく伸張せんとする時運に際し、福音新報が外資に倚ることを廃《や》めて、単に日本人の協力に依頼するに至れるは、その間に種々の困難あるにもかかわらず、むしろ慶すべきことなり。日本の伝道は日本人の勢力と犠牲的精神とに依頼せざるべからず。本邦のキリスト教徒が碌々として外国宣教師の尻馬に乗りて得意の色をなす限り、伝道の振張得て期すべからず。また日本国キリスト教徒の実力を発揮することを得べからず(42)」

植村は自ら独立自給の精神を実践したが、これを日本基督教会内においても実践させようとし、非常に努力した。これがために宣教師側と感情上の不円滑、齟齬をきたすことを何ら顧慮しなかった。その精神のあらわれが、一九〇四年九月、日本基督教会大会において、独立自給決議案の提出の形であらわれた。その独立決議案は次のとおりであった。

「各教会の自給独立は、我が日本基督教会建設以来の主義とする所今大会はその趣旨を貫徹せんが為に、各中会に向って右の方針を訓示す。

一、各中会は自今其部内に於て自給独立する資格なき信徒の団体を教会に組織せざる事

一、各中会はその部内にある教会の状態を調査して、未だ自給独立せざるものは自今三ケ年、即ち明治四十年九月を期して自給独立せしむる方法を講ずること、而して其時期に至るも尚自給独立するの見込なきものは柔弱にして建設の目的を達する能わざるものとして解散すること」

右決議案は大会において、大いに論議の中心となり、甲論乙駁激論がかわされ、ついに否決された。しかし植村らは屈せず、翌一九〇五年一〇月の大会においてふたたびこの問題を提案し、ミッションとの協力案をもあわせ審議し、ついに可決されるにいたり、植村らの主張精神は貫徹した。(43)

内村とアメリカ

財政上の自主独立よりも一層困難だったのは精神的ないし教義的な自主独立であった。内村鑑三は、当初より財政的な援助を受けていなかったから、最も早く教義的な自主独立を企てた一人

であった。彼の最初の著書である『基督信徒の慰』の発刊満三〇年に際して記した序文「回顧三十年」において、内村は次のように記している。

「此書今年を以て発刊満三十年に達す。大なる光栄である。感謝に堪えない。

今より三十年前に日本に於て日本人の基督教文学なる者はなかったと思う。若しあったとすれば、それは欧米基督教文学の翻訳であった。日本人自身が基督教の事に就て独創の意見を述べんと欲するが如き、僭越の行為である乎の如くに思われ、敢て此事を為す者はなかった。丁度其頃の事であった、米国の学校に於て余と同級生たりし米国人某氏が余を京都の寓居に訪うた。彼は余に問うて曰《い》うた『君は今何を為しつゝある乎』と。余は彼に答えて曰うた『著述に従事しつゝある』と。彼は更に問うて曰うた『何を翻訳しつゝある乎』と。余は答えて曰うた『余は自分の思想を著わしつゝある』と。此答に対して彼は『本当に《インディード》！』と曰うより他に辞《ことば》がなかった。誠に当時の米国人（今も猶然り）の日本の基督信者に対する態度は大抵如斯《かくのごと》きものであった。そして如斯き時に方《あたり》て、欧米の教師に依らずして、直に日本人自身の信仰的実験又は思想を述べんと欲するが如きは大胆極まる企図であった。然るに余は神の佑助に由り恐る々此事を行って見た。殊に何よりも文学を嫌いし余のことであれば、美文として何の取るべき所なきは勿論であった。余はたゞ心の中に燃る思念に強いられ止むを得ず筆を執ったのである(44)」

内村はまた、自伝『余は如何にして基督信徒となりし乎』において、アメリカの第一印象を次のように記している。

「私は、アメリカでは金銭がすべてであり、『全能のドル神』が崇められていること、人種的偏見が非常に強くて、黄色い皮膚と扁桃形の眼は嘲笑の的《まと》であり、犬も吠えつくこと、などを確かな話として聞いていた。しかし私には、こういう話が事実を伝えているなどとはとうてい信じられなかった。パトリック・ヘンリーとアブラハム・リンカーンの国、ドロシア・ディクスとスチーブン・ジラードの国――それがどうして拝金宗《マモニズム》と人種差別の国でありえたろう！　私は自分には別な見方ができると思った。私は、キリスト教文明が異教文明に優れていることを、読んだり聞いたりして来て、強く確信していたのである。私の心に描かれたアメリカの像《すがた》は、まったく聖地のそれだった(45)」

彼の第一印象は、アメリカの現実によって、次々に破られていく。しかし、在米中、彼が接したニューイングランドのピューリタン的福音主義信仰、とくにアマースト大学の学長ジュリアス・H・シーリーによって開眼せしめられた、ドイツ敬虔主義の影響を強く受けたキリスト教信仰は、生涯彼を離れなかった。米西戦争以後のアメリカの、国家や資本の動き――とくに帝国主義政策――は、内村にとっては幻滅以外の何ものでもなかったが、しかもなお内村にとってアメリカは依然として「第二の故国」であり、「純粋の米国思想なるものは実は世界最良の思想である」という信念は生涯変らず、アメリカにはなお、この「純粋の米国思想」――キリスト教信仰に根ざす自由と正義の精神――をたもつ者が跡を絶ってはいず、国家や資本の悪と、力をつくして戦っていると考えた。内村はアメリカという国全体に失望しながら、なお、その中の「改革」の運動に期待をかけたのである(46)。

彼は、その初期の著作『地理学考』(一八九四年)において、アメリカのもつ思想的特質を強く評価する。

「何者が北米合衆国を建設せしや、仏人にあらず、英人にあらず、独人にあらずして、欧人中自由の大思想を抱懐し、之を以て相連結されしものなりき、欧の粋は其胚胎せし自由なり、而して自由は米に移植せられて蕃殖し、終に今日の美菓を結べり(47)」

「苟も自由を重じ平等と独立とを恋い慕うものは皆故国を去て墳墓の地を米大陸に求めたり、ここに於てか欧米国に於ける国民的仇敵の念は忘棄せられて自由てう高尚なる感念を以て互に相繫がるるに至り、差違の中に一致を来し、人類は再び結合共同するに至れり(48)」

したがって、日本人のアメリカに対する移民を禁止する新移民法の制定は、内村を失望と憤りに導いた。そして、アメリカのキリスト教を、行為と業績によって信仰を証明しようとし、人間の行為や業績を自己目的化し、偶像視する傾向が現われてきたことに対して批判を強めていく。たとえば「亜米利加的基督教」(『聖書之研究』一九〇四年七月)という文章がある。

「成効を統計に徴す、是れ亜米利加主義なり、而して此主義を基督教に応用せしもの是れ余輩の称して以て亜米利加的基督教と做すものなり、亜米利加人は意を真理の探求に注ずして偏に其応用を努む、而して偶々其大建築物又は多数の帰依者となりて現わるゝあれば、成功を歓呼して神に感謝す、彼等は物に顕われざる純真理の美を認めず、亦、統計を以て表わす能わざる霊的事業の成功を知らず、彼等は現実を愛すると称して万事の機械的なるを欲す、余輩は多くの他の点に於て深く亜米利加人を尊敬す、然れども宗教の一事に於ては彼等と趣好を同《とも》にする能わず(49)」

高倉の福音的基督教

天皇制との間に緊急感を欠き、アメリカからの独立という課題も達成し、しかも時代の重要課題であった労働問題、農民問題に対して有効な手段をもたなかった大正期のキリスト者は、次第に社会性を失って、救いを個人の問題に矮小化していった。その最も典型的な事例が高倉徳太郎である。彼は、みずからのキリスト教を福音的基督教と名づけ、その特徴を次のように説明している。

「原罪とは肉である。生来のエゴイズムである。人はみなエゴイスティックなものである。之あるが故に我等は真理に従い得ない。而も運命的な肉に対して我等は罪責を感ぜざるを得ないのである。福音的基督教は勿論この原罪の真理を確信する(50)」

「然し神の聖なる命令の前に立ち、醒めたる宗教的良心は必ず霊と肉との矛盾を深刻に経験してくる。神の前には、律法の全部を行うか、然らざれば無かである。その中間はあり得ない。神の律法の九分九厘まで実行し得てもその残りの一厘が実行し得られないならば、凡てが駄目になる。かくて肉なる我に対しては、ただ神の怒りあるのみ、罰あるのみである。醒めたる宗教的良心をもて神の聖前に立つものは自己に絶望せざるを得なくなる(51)」

「罪とは神への不従順であって、神に罪を犯し、その怒りの下に立つことである。我等罪人はこの儘では如何しても聖前に立ち得ない。何かによっておおわれなければならぬ。キリストの十字架の血におおわれなければ、罪人は聖なる神の御前に立ち得ないと感ぜられるのである。罪おおわれたし、赦されたしとの切なる要求なきものには贖罪論などは、空なものになってしまう。また自己の人性の矛盾、霊と肉との戦いに行きつまり、どうしても救いを求めざるを得ないとの要求なきものにも、贖罪論は、靴を隔てて痒きを掻くが如きであろう。又、人性の深刻な原罪に目覚めざる人にとっても、贖罪論は痛切に迫って来ない」[52]

このように、みずからのエゴイズムのみを問題にする高倉にとって、社会も天皇制も全く視野に入ってこない。それは、天皇制とキリスト教との間の緊張感が最も失われた時期に、生まれるべくして生まれたものといえる。

近世における武士の倫理は儒教、とくに朱子学であり、それは「聖人学んで至るべし」すなわち、人はだれでもエゴイズムを打ちくだけば、聖人になり得る存在であり、聖人によって政治はなさるべきだとする中国特有の人間主義である。[53]明治時代のキリスト教の指導者は、あらかた武士の出身であったから、彼らの根底には多かれ少なかれ朱子学への志向があった。

たとえば、海老名弾正によれば、人間というものは全て奮闘努力さえすれば神に成り得るものだという。キリストが海老名にとって最もふさわしい人格であるのは、つねに神に至ろうとする激しい向上心をもっていたからであり、そこに自分は「キリストに対する一番信託をもつ」という、向上心をもて、奮闘努力せよ、奮闘努力すれば神に成り得ると強く主張する。

「今人間の進化の窮極を想像するときは人間なるものの裏面には之と結べる神あるを見ざるを得ぬ。（中略）去れば人間に将来がある、未発のものがあるのである」

つまり、まだ充分に進化していないものが人間一人一人の心の中にある。そして、それが完全に実現すれば、人類は神たりうると、海老名はいうのである。

「徳修まり品格高まるを実験するであろう。この宗教に入らずしては如何に修養しても坂に車を押すようなものである」(54)

しかも、神の力ではなくて、自分自身の力で神に至ることができるということを強調する。

「一も基督、二も基督、ただ基督にさえより頼めばよいと思うのは、依頼心の甚しい卑劣なる根性である。我れは我れ自ら我が内の罪悪を取り除かなければならぬ。かく言わば或は、然らば神の救は何処にあるぞといわれんも、天祐は常に自助に存する。固より神の力は神の恵みには相違なきも己も自ら働かない所に神の力は加わるものではないのである」

さらに、キリストは儒教でいう「君子」にあたるという。(55)

「諸君が其心に画ける君子たる資格を作り出すには容易の事ではない、非常なる力、非常なる元気を要するのである。然らば、其力は何処より養うや、勿論、信仰に進むことである。吾等、天地の深い処に入り、神を見出し、吾之をなすにあらず、神之をなさしむる也という自覚に入らねばならぬ。吾等は、社会に出でんとすればする程、神と交らねばならぬ、(中略)忙しければ、忙しい程、神と交らねばならぬ、神と交わり、神の中に深く養われ、神の愛に満ち満ちて、社会に出て行かねばならないのだ[56]」

内村の「近代的キリスト教」批判

このような朱子学的性向から、多年の苦悩の末、ついに脱却してキリスト教に至った過程を生々しく記録したものは、内村の自伝『余は如何にして基督信徒となりし乎』である。内村は、奉仕のわざによって、自己の内なるエゴイズムを滅することを考えたが、力をふるって自己と戦えば戦うほど、かえって自己の内なるエゴイズムが猛然と力を増してくることを実感した。そして最後に、自己をみるのではなく、ひたすら神を見上げよ、一切を神にまかせよとのアマースト大学のシーリー学長の言葉によって、キリスト教に開眼した。

このような体験をもつ内村の目に、自己のエゴイズムのみを問題とする信仰態度が、きわめて危険なもの、キリスト教にあらざるものと映じたのは、当然といえよう。内村は、一九一〇―二〇年代に、彼のいわゆる「現代神学」に対して、果敢に抵抗をくりかえす。次に、その内の最も代表的な論文を二つ、短文なので、その全文を引用する。

自己意識に就て

「自己意識と云えば如何にも善き者である乎のように思われて居る。然し乍ら実は自己意識ほど悪しき者はないのである、人が神に叛きて罪を犯した時に、彼に自己意識が起ったのである。アダムとエバは罪を犯して初めて自己の裸なるを意識した、如斯くにして自己意識は恰度神意識の反対である、人は心の中に神を以て充たさるる時に自己を忘れるのである、『凡の事は神を感ずる者の為に悉く働きて益を為す』と云う（羅馬書八章二八節）、実に神も天然も、然り自己其物さえも、神を愛して自己を忘れる者には悉く働きて益を為し、之に反して、自己を愛し、自己を意識し、自己の為に計劃し、劃策し、工夫し、恩恵に富める万有の造主にして其父なる神の聖意と聖業とに干渉する者には万事万物は悉く働きて害を為すのである、小児の心が天真であり善美であると云う其理由は玆に在るのである。即ち小児に自己意識なく、彼は自己あるを忘れて居るからである。近代文明の如何に病的なる乎は、何処を見ずとも、其の著るしく発達したる自己意識を見れば一目瞭然である」(57)

現代神学に就て

「現代神学はイエスの人格並に内的生命を以て其の研究の主題とする。旧神学の如くに彼の受肉、復活、昇天、再臨等に注意しない。現代神学は其根本に於て主観的である。『己が臍を見詰る者である』とカーライルが曰いし如くである。過度に自己を意識する。故に自由でない、又膨脹しない。救拯とは主として自己意識より脱する事である。然るに現代人は其の現代神学を以て、自分が離れんとして努めつつある束縛に自分を繋《つな》ぎつつある。真《まこと》の信仰は客観的であって主観的でない。我等の為に十字架に釘けられしイエスを仰ぎ見る事であって、我等の罪に満ちたる自己を顧ることでない。『善なる者は我れ即ち我肉に居らざるを知る』とパウロは曰うた（ロマ書七章一八節）。外なる世界の実在を主張する唯物論は、自己意識の病的探求に没頭する現代神学に勝ること数等である」(58)

内村は、救いは自己を意識することではなく、自己意識から脱することであるという。まさに、高倉の福音的基督教の対極にある。私たちは、内村と高倉といずれの立場に立つべきであろうか。もちろん、私たちは、どれほど努力しても、みずからのエゴイズムを否定することなどできるはずはない。そのような虚しい努力をつづけるよりも、あたかも綱渡りをする曲芸師が、ひたすら目標をみて進んでいくことによって綱を渡り切ることができ、下をみたら綱から落ちてしまうように、内村のいうように「我等の為に釘けられしイエスを仰ぎ見」つつ行動していくときに、はじめて真に隣り人を愛することができるのである。もしも、自分の心の中のエゴイズムをのぞきこむなら、その途中で綱から落ちてしまうだろう。一片でもエゴイズムがまざっていたら、その隣り人への愛は偽善だというなら、私は甘んじて「偽善者」のそしりを受けよう。人間として隣り人への愛にエゴイズムがまざることは「当然」だからである。

柏木と朝鮮

先に私は、大正期には天皇制とキリスト教の間にはほとんど緊張関係がなかったといったが、しかし、同時期の朝鮮においては、そこには絶え間ざる緊張関係がみられたのである。しかし、当時の日本人キリスト者は、それに対して、ほとんど関心をもたなかった。しかし、そのような日本人キリスト者の中にも、例外的に、天皇制に抑圧されている朝鮮人に、イエスのいう「隣り人」を見出した人々があった。次に、この人々について考えてみよう。

日韓併合の行なわれた年、一九一〇年四月三日、海老名弾正は、京城の基督教青年会館において、朝鮮人約千人に講演を行なったのをはじめとして、在朝日本人にも各地で講演し、先にみたような朝鮮問題にたいする朝鮮人、日本人のとるべき態度、これにたいするキリスト信徒のとるべき立場を説明した。ついで同年一〇月の日本組合教会定期総会の決議で、朝鮮伝道部の設置と、京城学堂長であった前歴を買われて渡瀬常吉が、その主任に任命された。

渡瀬は、その朝鮮伝道の方針を記した『朝鮮教化の急務』(一九一三年)において、朝鮮人の教化には二重の問題があるという。

「即ち人類としての教化問題と、国民としての教化問題との二つである。更に分り易く云えば、朝鮮人を教化せんとする宗教家は、朝鮮人を人類同胞の立場より、之を単に宗教的信仰に導くと云うに止めず、更に一歩を進めて日本と併合せられた朝鮮人として、其の最も幸福なる道行きは如何にすればよいかと云うことを考え、多少彼等の心中には反抗心があっても、それを説き暁して日本国民として立つの覚悟に到着せしめねばならぬ。此れは朝鮮民族の幸福を希うの衷情より自然に到着すべき要点である。若し朝鮮民族が日本国民たるの自覚を持つことを拒み、永く反抗的心状態を有して居るならば、其の不幸は一通りではない。進歩もなく、発達もなく、随つて希望もなく、自暴自棄あるのみである」

このような教化をなしうるのは、日本の宣教師のみである。外国の宣教師は、第一の点についてはよくなし得るであろうが、第二の点についてはほとんど不可能であるという。これは、上記の海老名の説を、その線に沿って、一層おしすすめたものということができよう。

このような渡瀬の朝鮮伝道方針に対して、同じ組合教会でも、はっきりと反対を表明するものも、ないことはなかった。それは湯浅治郎、吉野作造、柏木義円である。柏木は、一八九七年から一九三五年まで群馬県安中教会の牧師であった。一八九八年から一九三六年まで『上毛教界月報』という月刊雑誌を発行した。一九一四年四月一五日号の『上毛教界月報』に、柏木の「渡瀬氏の『朝鮮教化の急務』を読む」という一文を見出す。

「組合教会の朝鮮教化資金募集委員が朝鮮教化に就て天下の有志に訴えた檄には、韓国併合を以て前古未曾有の盛事と讃し、朝鮮伝道の目的は、一は彼等をして神の国の民たらしめんと期する所謂純宗教的の立場、他は彼等を同化して我が忠良なる臣民たらしめ以て併合の大目的を徹底せんとする日本人としての立場の二重ありと為し、而して此檄を敷衍し、説明したる註脚と思しき本書は、専ら此の第二の点を高調して、在朝鮮の外国宣教師の伝道は単に第一の目的を達するのみなれば、今や日本国民となりたる鮮人《マ マ》の伝道には其資格に於て欠くる所ありと為して居るようである。

福音宣伝は福音宣伝である。基督の福音は二ある可らず。保羅は基督と其の十字架の他には汝等の中に在て何をも知るまじと心を決たと曰って居る。基督教の伝道の目的は、単に基督の福音を宣伝して人をして悔改めて神の子とならしむるの一事の外はない。其結果として忠良なる臣民、考順なる子女、貞淑なる婦人を生ずるも、其は唯其の当然の副産物のみである。吾人は未だ嘗て福音宣伝の目的に互に相対立する二重の目的のあることを知らない。吾人は世界的宗教を標榜して居るではないか。神の天父で在《まし》まして人類は相愛すべき同胞兄弟であることを徹底せしむれば十分である。何ぞ独り日本人と謂わん。如何なる人種をも敵視す可らず、嫉視す可らず、これ基督の心である。斯くして内鮮人自ら相融和すべし、基督の御名を以て相融和せしむるは第一の目的のみで十分である。内鮮人均しく共に日本国民であるとの自覚を与え、而して後ち之に由て相融和せしむるが如き、他に自ら之を為す者があるであろう。我福音の関する所ではない」

その後、一九一九年の三・一独立運動の勃発に際しては、渡瀬は『基督教世界』(同年四月一〇日、一七日)に、「朝鮮騒擾事件の真相と其善後策」なる論文を発表し、けっきょく、「騒擾」の原因は「併合」そのものに対する反対でも、総督府の「虐政横暴」でもなく、「半島民族の一部に偏」するところの「政治的迷信団」にすぎない天道教と「ユダヤ教の色彩が寧ろ濃厚で、基督教の色彩の鮮やかでない」耶蘇教の一部と青年学生と仏教の僧侶が起したものだとした。これに対して柏木は、直ちに『上毛教界月報』(五月一五日号)で、渡瀬のこの説を批判し、その原因は総督府の政治にあることを明瞭にのべた。さらに同誌七月一五日号において、日本軍隊による朝鮮人虐殺の状況を伝え、同誌一一月一五日号に、組合教会の年次総会(同年一〇月二一―六日)までに、機関誌『基督教世界』に掲載することを要求して編集部から拒否されたその原稿をのせ、「今後総督府の寄附を謝絶す可し。渡瀬氏をして其の誤れる伝道方針を改むることを明白に宣明せしむ可し。もし組合教会が、そのような方針をとり得ないならば、組合教会は渡瀬氏の朝鮮伝道と全然関係を絶つ可し」と主張した。しかし、その年の組合教会総会は満場一致で、渡瀬の朝鮮伝道方針を可決したのであった。(59) ここに、当時における日本人キリスト者の朝鮮に対する、すなわち天皇制に対する一般的な状況が示されている。

内村と金貞植《キムジヨンシク》

朝鮮人キリスト者の苦悩に対する関心のきわめて乏しい当時の日本人キリスト者の中にあって、はるかに当時の水準を抜く朝鮮認識をもっていたのは内村鑑三である。彼は日韓併合にさいして、次のような意見を述べている。「領土と霊魂」という論文において、「国を獲たりとて喜ぶ民あり、国を失いたりとて悲しむ民あり、然れども喜ぶ者は一時にして悲しむ者も亦一時なり、久しからずして二者同じく主の台前に立たん、而して其身に在りて為せし所に循《よ》りて鞫《さば》かれん、人、若し全世界を獲るとも其霊魂を喪わば何の益あらんや、若し我領土膨脹して全世界を含有するに至るも我が霊魂を失わば奈何にせん、嗚呼我は奈何せん(60)」と述べている。

内村も、はじめは、当時の日本人クリスチャン一般と全く同じく、朝鮮人を「歴史なき民族」とよび、それゆえに日本の「干渉」「誘導」あるいは「平和的・経済的植民主義」を必要とすると考えていた。このような内村の朝鮮観を一変せしめたのは、金貞植との出会いであった。次に、高崎宗司の研究によって、この間の事情を紹介してみたい。

金貞植と内村との関係は、一九〇六年一一月、金が東京朝鮮キリスト教青年会総務として就任したときに始まる。金は、たびたび内村を尋ねただけでなく、時には内村の集会において講壇に立ち、また朝鮮語の讃美歌を歌った。若き矢内原忠雄が、朝鮮伝道を決意したのも、金貞植の話をきき、内村のそれに対する感想をきいたことが一つのきっかけであった。内村は金について「性格と生涯に互いに共通したところが少なくない」「朝鮮人中の朝鮮人」と語っている。

一九一二年一〇月一七日、内村は札幌独立教会において行なった「ロマ書講演」第三回の中で、

「私の朝報〔万朝報〕の記者時代に同僚であって今は朝鮮のソウール・プレッスの主筆をしております山県五十雄君の話によりますと、朝鮮で見るような信者は日本では見ることができない。日本の教師は知識の点においてまさっているけれども、信仰に至ってははるかに及ばないということであります。私はこれを初め信ずることはできませんでしたが、近来は信ずるようになりました。私の知人に、東京で有力な一人の朝鮮人がありました。(中略)毎週土曜日に来て私の聖書講義を聞き始めましたが、私の驚いたことには、二、三カ月たちますと、今まで来ておられた教友諸君よりも深い質問を出すのです。かくのごとき質問はわが国人に見ることははなはだまれなものであります」と述べている。この「一人の朝鮮人」が、すなわち金貞植であった。金とのつきあいは、内村の朝鮮観を一変せしめ、朝鮮人に対する深い理解をもたらした。

内村は、一九一五年五月三〇日、東京朝鮮キリスト教青年会において、「教会と聖書――朝鮮人に聖書研究を勧むるの辞」と題する講演を行ない、「日米両国の平和維持の唯一つの道は米人が今の浅薄なる基督教の信仰より進んで更に善き基督者となる事である」と述べたあとで「日鮮人の真の合同融和」も「日鮮人双方共に善き基督者となる事の一つがあるのみである」として、金貞植と自分との心のふれあいを例として述べている。

彼は、また、一九一七年四月二日にも、箱根における朝鮮キリスト教青年会修養会に出席し、

「相互の了解」と題する講演を行ない、「キリスト・イエスに在りて日本人も、朝鮮人も、シナ人も、印度人も、英国人も、独逸人も、墺国人も、露国人も、一体然り一人であるのである」と述べ、ここでも「余は朝鮮人中に善き信仰の兄弟を有って居る」として、金貞植とのふれあいについて述べている。

一九一七年四月一九日づけのD・C・ベルあての書翰は、当時の内村の到達地点を示している。内村は、書翰の中で、四月二日、まる一日を朝鮮の青年たちと過ごしたあとの感想として、「私は日本が朝鮮を併合したことは、とりも直さず、一ポーランド国を合併したことであり、結局このたべ物を完全に消化することは望みがないのではないか、と案じます。彼らの中には立派なクリスチャンがおり、精神的には、原則通り、日本のクリスチャンよりはるかにすぐれています。彼らの間には、私の善い友人が数人います。われわれは互いに心から愛し合い、われわれの間には『人種問題』などは介在しません。一部の高慢な、非情なアメリカやイギリスの宣教師らに私があつかわれた経験のおかげで、私はいわゆる『劣等』人種をいかにあつかわねばならぬかということを幾分知ったのです」と書いている。

組合教会、三・一独立運動、関東大震災と内村

組合教会の朝鮮伝道、一九一九年の三・一独立運動、一九二三年の関東大震災のときの朝鮮人虐殺、以上三つの問題にどう対応したかということは、日本人の朝鮮観を知るうえできわめて重要なテーマであるが、内村がこの三つの問題にどう対応したかを示す史料はきわめて少ない。

内村は、早くから「宇宙的の性を有すべき宗教を国家的範囲内に圧縮し、終に宗教をして宗教の用を全くなさしめざるに至る」ことに反対であった。彼はまた、「彼等の海外伝道なる者の成功〔マヽ〕せざる」ことも予言していた。そうした内村にとって、総督府のお先棒をかつぐ組合教会の朝鮮伝道は、批判の対象でしかなかった。一九一九年五月二九日の日記に、「朝鮮信仰の友人なる朝鮮京城金貞植氏の訪問があった、三年振りにて彼と相会して甚だ懐かしく感じた。彼が組合教会に働くも其信仰に染ざるを知って喜んだ」と書いているのは、そのことを示している。

安鶴洙《アンハクス》の証言によると、内村は、三・一独立運動の直後に崔泰瑢《チエテヨン》の訪問を受けている。そして、「今や韓人〔マヽ〕はならず者の日本人によって苦しみを受けていると日本の悪政を非難」したという。

さらに、内村は、一九一九年五月二八日に、京城の『ソウル・プレス』の山県五十雄らと「朝鮮事件」について語っているし、五月二九日と六月三日には、当時京城に住んでいた信仰の友人・金貞植の訪問をうけて、「時勢に就て語」り、「彼が故国の事を語るに方て眼に涙を浮べるを見て余も貰い泣きを為さゞるを得なかった」とも書いている。三・一独立運動については、相当詳しく知っていたに違いなかった。そして、彼は、三・一独立運動に際して「わが国人が朝鮮でした事を、心から申しわけなく思っ」た。

関東大震災のときの朝鮮人虐殺について、内村は一言も書き残してはいない。ただ、内村が、地震の犠牲者に対して、「最も甚しく痛み給う者は天に在ます父御自身であると信ずる。彼は我等の知らざる或る方法を以て充分に此苦痛を償い給うと信ずる」と述べたことや、弟子・藤井武が「ひとつの宣言」を書いて、朝鮮人虐殺を非難したり、弟子・永井久録の妻が、永井家に下宿していた朝鮮人をめざしておしよせてきた暴徒に対して、彼らを一歩も家の中に入れなかったというような話から、内村も虐殺に怒っていただろうと推測できるだけである。

内村と朝鮮人キリスト者

朝鮮人が内村に感動し、朝鮮人の感動が内村にはねかえって内村の朝鮮理解、キリスト教理解を深め、それがまた朝鮮人を感動させるといういわば「善循環」が形成され、内村が日本人よりもむしろ朝鮮人の中に自分の後継者を見出すようになったのは、一九二二年前後のことである。

一九二二年四月二六日に「朝鮮人某」より、次のようなハガキが着いたと内村は日記に書いている。「(略) 一九二〇年夏或る機会を以て先生の研究誌七月号が小生の手に入ったのでありました。此れは神が始めて小生に直接に授けた機会で御座いました、夫から今日まで先生の著書全部を六次拝読致しました……嗚呼先生、先生の御恩に〔ママ〕れ感謝の涙を禁ずる事が出来ません、小生の讐の日本にでも先生在りて平和の日本、愛の日本にと変って来るので御座います (略)」。これに対して、内村は、「嗚呼日本が朝鮮の讐であって欲しくない、兄弟であって欲しい、而して讐もキリストに在りて兄弟となる事が出来る、本当の日韓併合は両者がイエス・キリストを救主として迎えまつる時にのみ成る」という感想を書いている。

内村に、「将来余を最も能く解して呉れる者は或は朝鮮人の中より出るのである乎も知れない」という予感をもたせたのは、金教臣《キムキヨウシン》であった。内村は、一九二二年一〇月二四日の日記に、「大手町に於て羅馬書の講演を終って感謝を表して来た者が今日までに四人あった（七百人中の四人である）。其内朝鮮人某君（金教臣のこと）のそれが最も強く心に響いた」と書いている。金教臣は、三・一独立運動のおこった一九一九年三月に「『不倶戴天』の鉄の如き心を以って玄海を渡ったもの」であったが、「自然科学者の精神に立脚した聖書研究と全国民から国賊呼ばわりされる誹謗中に埋没された半生余りの生涯中にも尚お祖国日本を棄て得ざる愛国者の熱血　之れが何よりも力強く私を索引した」ので内村に弟子入りしたのであった。

一九二三年正月、内村の所には多数の年賀状が届いた。その中には、「日本国を『不共戴天』の敵とし排日党の一人」であったという金斗鎮《キムトウジン》の、「其の深い信仰に感動され〔ママ〕、先生を以て極東のエレミアとして敬慕致します。そして小生の日本観は一変したのです」というような手紙もあった。それに対して、内村は、「実に日本人の内に於ては見ることの出来ない真剣さ加減である」と書いている。

このような「善循環」を担った朝鮮人は、内村聖書研究会に集まった崔泰瑢、金教臣、金熙完《キムヒグワン》、柳錫東《ヨウソクトン》、李鎮英《イチンヨン》らと朝鮮からときどき内村を尋ねてくる金貞植、そして、「『聖書之研究』朝鮮読者会」の人びとであった。

咸錫憲《ハムソクホン》は、一九二二年頃、民族主義的・民主主義的教育で名高い朝鮮の五山学校の校長・柳水《ヨウソ》模《モ》から内村の名を初めてきき、一九二四年、金教臣の紹介で内村に入門したが、その頃の感想を、「人生問題と民族問題とに苦しんでいた私は、先生の講義には、そうした苦しみを解きほぐして下さる点が多くあり、まことの信仰に生きることこそ真の愛国であることを確信するにいたった」と書いている。

一九二六年になると、内村の下に集まった朝鮮人学生六名（金教臣、宋斗川《ソントウチヨン》、楊仁性《ヤンインソン》、鄭相勲《チヨンサンフン》、柳錫東、咸錫憲）は、独自の集まりをもつようになった。六人は、鄭の宿舎に集まり、朝鮮語で聖書研究を行なってから内村の集会に揃って出るようにしていたという。彼ら六人は、その後朝鮮に帰った。そうして、一九二七年七月、朝鮮語の月刊雑誌『聖書朝鮮』を出して、キリスト教と朝鮮のために闘った。

内村は弟子の崔泰瑢が『日本に送る』をまとめると、みずから序文を書いて、一九二三年四月、聖書之研究社から発行した。また、牧野正路は、内村が、金教臣の感話をきくたびに、「その通り、その通り」と深い同感の意を表していたと証言している。内村自身も、一九二五年一二月二三日の日記に、愉快なるクリスマス会合が開かれ、「殊に其中の朝鮮学生の感話に感じた。信仰のことに就ては日本人は大に朝鮮人に学ばざるを得ない」と書いている。

京城に帰った金貞植は、その後もたびたび内村を尋ねてきていた。内村は、金の訪問を受けるたびに、日記に、「前に変らざる信仰の光に輝く君の容貌に接して楽しかった」とか、「朝鮮金貞植君の訪問を受けて面白かった。君と共に種々の問題に就て談ずるは多大の愉快である。君は自分の信仰を解して呉れる少数者の一人である。君と会う毎に神に感謝する」とか書いている。また、さらに、一九二五年九月一五日には、「京城の金貞植君の訪問あり、久振りにて朝鮮並に支那問題に就て意見を交換し相互に大に得る所があった」と書いたあとで、日記の最後を「縦し我福音が日本に於て失することあるとも、朝鮮に於て保存せらるるであろうと思えば大なる安心である」としめくくっている。

「『聖書之研究』朝鮮読者会」は、一九二六年九月一七日、京城のキリスト教青年会館社交室で結成された。発起人は小西尚太郎、出席者は二五名、そのうち朝鮮人は、安鶴洙ら四名であった。内村は、『聖書之研究』の一九二七年一月号、二月号、三月号にページをさいて、金昶済《キムチャンジェ》、朴勝鳳《パクスンボン》、安鶴洙、湯沢栄《タンテギョン》、白南柱《ベンナムジュ》の読書会感想文を掲載すると同時に、自分に「証明」を与えてくれ、自分を福音の使者と見てくれる朴や安に感謝した。

また、内村は、一九二九年一月八日の日記に、「新年に際し受取りし多くの書簡の中に、朝鮮の或る読者より送来たりし者が最も自分の心に響いた」として、「日鮮同化と云う虚偽者連の計画」を批判する書簡の一節を紹介し、「鮮人中《マヽ》に一兵なしと雖も、此忍耐と祈禱の心ありて彼等は将来大いに為す有るの民である事を見逃すことは出来ない」と書き、続いて、一月一〇日にも、「朝鮮の教友よりの年賀状の他の一節に曰く」として、その内容を紹介したのち、「誠に然りである。自分の説く福音が直接に自分に聴く者よりも、遠く離れたる朝鮮に於て解せらるるを聞いて喜ぶ」と書いている。

内村の死の前年、『聖書之研究』一九二九年三月号に載せられた「回顧三十年」と四月一日の日記に記された次の感想は、最晩年の内村の朝鮮人に対する期待が並々ならぬものであったことを示している。

「私が私の聖書研究会に於て愛国を語りますする時に、手に汗を握って聞く者は朝鮮の学生でありまして、日本内地の学生ではありません」

「信仰の事に就ては朝鮮人は全体に日本人以上であるように見える。多分わが信仰が朝鮮人の中に根ざして、然る後に日本に伝わるのであろう。少数の朝鮮学生を教える為め丈けに聖書研究会を起すの価値があった」(61)

しかし、以上のような内村の朝鮮に対する感想が、ただ日記に書かれ、あるいは身辺の人々に語られたにすぎず、広く一般に発表されなかったところに、内村が、やはり天皇制の呪縛から免れていなかったことが知られる。内村にとっても、国民的統合の基礎としての天皇制の威力は、依然として大きかったのである。

第七章　ファシズム期のキリスト者

山本の罪の認識

やがて、時代は大正から昭和に移り、内村、植村等のキリスト教界の指導者たちも相ついで死に、その一方、一九二九年から始まる世界恐慌の中で、軍部の力が強くなり、ファシズム体制へ向って急速にすすんでいく。もちろん、天皇制からするキリスト者への圧迫も強化されていくのであるが、当時のキリスト教界は、大正期に成立した「近代的キリスト教」（内村のいう「現代神学」）にほとんど支配されてしまう。天皇制との間に緊張関係を欠いた時期に成立したこの「近代的キリスト教」は、天皇制との間に次第に緊張が強められていった時期において、本人の意識如何にかかわらず、自己の安全を保障するために、最も適合的なものであったからである。その実例は枚挙にいとまがないが、他をせめるよりも、私自身の内部から実例をあげることにしよう。

大正期に東京帝国大学の学生に対する伝道を目的として設立された「基督教共助会」は、高倉の影響を強く受けたが（上記の高倉の著書『福音的基督教』は、もともと共助会の学生修養会における高倉の講演の速記によるものである）[62]、その初代の委員長山本茂男において、上記の傾向は一層強くあらわれている。たとえば「基督に生くる道」には、次のように記されている。

「我等の唯一の道は信仰の良心によりて神の声に従い、利己と打算とを超え困難と損失とを賭けて基督に委ねて直進するにある。其処にのみ生ける真理と真の生命とがある。

斯くて基督に従うには十字架の道より外にはない。イエスに従う凡ての人は各々己が十字架を負うて進み行かねばならぬ。

『人もし我に従い来らんと思わば、己をすて、己が十字架を負いて、我に従え』と主イエスは招きつつ自ら先だち行き給うのである。十字架の道とは自己否定であり他面に於て積極的なる苦難の戦である。

自己否定の道とは凡そ人の性来の傾向性を、信仰によりて克服することである。性来の理性や欲情と云うものは、其のままにては肉であり罪である。仮令、人は信仰によらずして義を行い善を為すと雖も、其の根本に於ては最も正しき善業と雖も猶罪の業たるを免れ得ない。パウロは云う。『凡て信仰によらぬ事は罪なり』と（ロマ一四・二三）。例えば人間の愛は尊くも美しい。愛なくば人生は砂漠にも等しいであろう。愛するは生くる事である。愛なき人生に何の喜びと光と希望とがあろう。けれども、性来の愛をその欲するままに生きる事は正しい愛とは云えない。人は愛の世界にすら醜悪と悲惨とが充ち満ちた人生を如何に見るであろうか。さらば真の愛に生きんとする者は己をも己が愛さえも一度は十字架に釘《くぎづ》けねばならぬ。キリストに在りてこそ愛の自由は生きるのである[63]」

あるいは、また、「罪の認識」には、次のように記されている。

「今日、人の最も厭う言葉の一つは罪と云うことである。世人の最も軽視することも亦罪の如きはない。恐らく現代程、罪の意識の欠乏した時代は稀であろう。社会一般に亘って然うであると同時に、今日の基督者も亦罪の認識が甚だ鈍くなっているのではないだろうか。罪を反省することは、決して快いことではない。否、極めて不愉快なことである。けれども、神を信じ、その救に与らんとする者は、まず謙って自己の罪を正しく認識せねばならぬ。神を信じて従いゆく者は日々罪を悔改めて、浄められねばならない。吾々は罪を如何に経験し、如何に之を認識しつゝあるであろうか。（中略）

人間の罪は、人間の存在自体に、本質的に矛盾を抱いていると云う事実である。人間の中に、全き人格的調和ある発達を不可能ならしむる矛盾の原理を包蔵していることに人は自覚せねばならぬ。人は発達進化によりて、此の矛盾を除去することは能きない。否むしろ、人類の進化と文明の発達と共に、此の矛盾は拡がり行き、深刻にさえなりゆくのである。（中略）

罪は人間に於ける矛盾の原理であるばかりでなく、一つの客観的なる人格的な実在ですらあった。それは単に、或る時々の心境の変化や、状態ではない。吾々の中に喰い込んで来た力である。そして吾々を全く捕虜にして、肉を通して、魂の奥底に王座を占めて了った。それは最早や吾々の自我そのものである。自我の本質は利己的である。而して利己主義そのものは即罪に他ならない。それは他を顧みずして利己を追求する。けれども利己は只人間の自他の関係に止らずして、実に根本的には神の意志に對する背反である。罪の為に人間は自己を求むる事を知って、神を求むる事を知らない。実に罪は神に対する不従順であり、神の意志に叛く反逆である。神を無視して、己が腹を神となす事である。斯くして本来人間が在るべき神との正しい関係は絶縁せられた。神の子たるべき人間は失われた罪の子である。凡て性来の人間は、自ら斯る罪の状態から逃るる事は出来ない。凡ゆる人間の犯す罪は、ここに深く根ざしている。ここに原罪がある(64)」

ここで山本のいっていることは、高倉と表現までほとんど変らない。原罪（利己主義すなわちエゴイズム）を正しく認識し、自己を十字架によって否定しなければならないという。しかし、内村のいうように、自己を認識し、自己を否定しようとすることそのことが罪なのであって、私たちのなすべきことはイエスを仰ぎ見ることであり、罪に満ちた自己を顧みることではない。罪の意識に悩む一見敬虔そのものと思われるような「自己意識」こそ、罪の極みなのである。

灯台社等への弾圧

このように日本人キリスト者が、「近代的キリスト教」に身をひそめて、天皇制との摩擦を避けていたとき、天皇制の側から日本人キリスト者に対して襲いかかることになった。

戦争期に入り、政府が国民一般へ戦争協力を強く求めるに至り、キリスト者に対する本格的な弾圧が開始された。キリスト教が組織として検挙された最初のケースは灯台社である。一九三九年一月に軍隊に入隊した明石順三の長男真人、伝道者村本一生の兵役拒否を契機として、彼らの所属する灯台社を治安維持法第一条の国体変革の罪にあたるものとして、一九三九年六月、この組織の人たちを一斉検挙した。次いで四一年九月、四二年三月、プリマス・プレズレンを、四一年九月、四二年六月には耶蘇基督之新約教会を一斉検挙した。改正された治安維持法第七条に違反するというのである。

灯台社の日本支部長・明石順三（一八八九―一九六五年）は、一八八九年七月、滋賀県坂田郡息長村に生れた。滋賀県立彦根中学を二年で中退した後、一九〇八年、一八歳でアメリカに渡った。そこでも学校に入らず、はたらきながら町の図書館を利用して自分で勉強した。ロサンゼルス、サンフランシスコで日本語新聞社につとめ、妻の影響でワッチタワーに近づき、やがて夫人以上に熱心になった。ワッチタワーはアメリカに本部を置く無教会主義のキリスト者集団で、チャールス・テーズ・ラッセル（一八五二―一九一六年）のキリスト再臨思想を信仰の中心とする教義に基づいてつくられ、ジョセフ・フランクリン・ラザフォード（一八六九―一九四二年）に引きつがれた。

順三は、一九二六年、ワッチタワー総本部から派遣されて、支部をつくるために、日本にかえってきた。一九三一年に満州事変がはじまり、戦争を否定する灯台社は政府からの弾圧がさけられなくなった。一九三三年に最初の弾圧があり、灯台社は捜索され、信者は行く先々で検挙された。長男の真人も一五歳で仲間三人とともに逮捕された。

真人はやがて徴兵年齢に達し、軍隊に入ったが、一週間後に銃をかえすことを上官に申しでた。このニュースがつたわったあとで、すでに真人より先に入隊していた村本一生も、同じく銃をかえした。

真人と村本一生は、一九三九年六月、軍法会議で懲役三年と二年の判決をうけた。それから七日後、明石夫妻、次男力、三男光雄をふくむ二六人が逮捕された。順三は、一九四二年五月の第一審で懲役一二年、一九四三年四月の第二審で懲役一〇年の判決をうけ、同年九月、上告棄却によって服役した。一九四二年四月の公判廷で、順三は次のように述べた。

「現在、私の後についてきている者は四人（同じ法廷に立つ非転向の妻の明石静栄、崔容源《チェヨンウォン》、玉応連《オクウンヨン》、隅田好枝）しか残っていません。私とともに五人です。一億対五人の戦いです。一億が勝つか五人がいう神の言葉が勝つか、それは近い将来に立証される事でありましょう。それを私は確信します。この平安が私どもにある以上、何も申し上げる事はありません」

その頃、長男真人は、すでに転向して元の陸軍の部隊に戻っていた。その手記によれば、もともと真人の信仰は、子供の時から父順三の教育をうけた結果であり、そのために真人は、父の信仰を矛盾のない絶対的なものと信じて育った。ところが、父の信仰が変ったということをきかされ、それまでの信仰を考え直すことになり、その結果、真人は自分が日本人であるという意識に達したのである。

「日本の偉大さは実は一君万民の世界無比の国体であるからである」

その国体観をいかすことが日本人の責務であると考えた。真人は、その後、戦車隊に入り、一等兵で復員した。次男力は軍属になり、南方で戦病死。三男光雄は一九四五年に召集されたが、敗戦によって除隊。妻静栄は一九四四年六月、獄死。玉応連も獄死した。順三は敗戦後、二か月にして刑務所から釈放された。

その後、順三は、アメリカの総本部が、「この世の諸権を象徴する国旗に対する礼拝はクリスチャンとして拒絶すべし」というワッチタワーの律法を破ったことに対して、公開質問状を送り、総本部は彼を除名した。(65)

灯台社につづいて、一九四一年九月、耶蘇基督之新約教会が弾圧され、四〇名が治安維持法違反で検挙された。耶蘇基督之新約教会は、検挙当局において、

「所謂三位一体の神のみ全知全能、唯一絶対の活ける神なりと断じ、人類は此の神を信じ（中略）爾余の神の存在は否定せらるべきものなる旨教説し、就中偶像崇拝の排撃を強調し畏くも国民の伝統的尊信の中心たる皇太神宮を始め奉り、一切の神社を目して霊なき単なる偶像に過ぎ

ざれば之を祭祀礼拝すべきに非ずと做し以て神宮の尊厳を冒瀆すべき事項を流布することを目的とする宗教結社なり」と定義がなされ、治安維持法が適用されたのである。(66)

ホーリネス系三教会に対する弾圧は、一九四二年六、七、九月および四三年二、三、四、八月に行なわれ、一三四人の牧師らが、同じく治安維持法第七条によって検挙された。起訴七五人、起訴猶予五九人、獄死者七人、解散を命じられた教会二七〇に及んだ。

しかし、検挙された人々は、いずれも「何のために検挙されたのか。まるで狐にばかされたようだ」といっている。弾圧の根拠である治安維持法のことは誰も知らず、キリスト教が同法第七条の「国体を否定する」思想に該当するとは、検挙されるまで思いもよらぬことであった。安倍豊造牧師は次のようにいっている。

「MA警部補は取り調べの中で、不用意に『君たちを検束し得るように治安維持法が改正されたんだよ、それに気がつかないなんて貴様たちは間抜けだよ』と言うた――予審判事もまた『治安維持法が改正されたのを知らずにいたのか』と繰り返して調べて置きながら、いよいよとなると全被告に対して一律に予審終結決定書を印刷して、『被告らはその信仰がわが国の国体に反するものなることを知悉しながらこれに参加しこれにとどまり（中略）その教義を宣布していた』として公判に付したのである。それによってもわかるように、いかに無理無体であり計画的に弾圧したかが知られる(67)」

また山崎鷲夫牧師も、ほぼ同様のことを述べている。

「思い起こすのは、筆者が検挙された時に、担当検事の最初の言葉は『治安維持法を知っているか』との問いだった。筆者は治安維持法という法律があることすら知らなかったから答えようがなかった。国体変革だとか国体否認とかいうことも考えていなかったし、再臨信仰が政治運動ではなく国体否定という思想弾圧であることは思いも寄らなかったと言う方が正直のところである。筆者は、新約聖書にある『神を畏れ、王を尊べ』とか、『すべての人、上にある権威に服従すべし』との言葉が、心のうちにあった(68)」

これだけ大きな弾圧をうけたホーリネスのすべての人々に、国体すなわち民族エゴイズムの基礎としての天皇制は、キリスト教に反するという考え方が全くなかったことがわかる。

一方、日本基督教団は、これらの人々に対して教師職辞任あるいは布教中止と謹慎を求め、彼らが自発的に辞任を申し出ない場合には、その分限を剥奪し、検挙された牧師家族の生活費等についても一切、援助を行なわず、信徒には改めて信仰告白をさせて信徒名簿に登録することを、各教区長、支教区長にあて通達するというように、実に冷酷に、教団から排除したのである(69)。

それは、弾圧が及ぶのを避けようとするキリスト教徒にあるまじきエゴイスティックな教派性によるものであったが、より根本的には、「近代的キリスト教」つまり個人主義的、敬虔主義的な信仰ゆえに、天皇制に疑問をもたぬ、あるいは疑問を回避する信仰の脆弱さに基因するものであった。教団をふくめて、これら弾圧されたキリスト者の中で、天皇制に対して明確な考えをもっていたのは、灯台社の人々だけであったと、いうことができる。

矢内原と朝鮮

この時期の日本人キリスト者が、天皇制との間にほとんど緊張関係をもたなかったのに対して、同時期の朝鮮においては、朝鮮人キリスト者と天皇制との間には、ますます緊張が高まっていった。そして、日本人キリスト者の中にも、きわめて少数ではあったが、これら朝鮮人キリスト者の側に身を置いて、キリスト者としての行動をとっていた人がいた。朝鮮人の側に立って伝道を行なった織田楢次、西田昌一については、韓晳曦と私の共著『日本帝国主義下の朝鮮伝道』に詳述したので省略する。ここには、矢内原忠雄の朝鮮とのかかわりについて考えてみよう。

矢内原忠雄が、内村鑑三の集会において、金貞植の話と、それに対する内村の話を聞いて、朝鮮伝道の志を与えられたことについては、すでに述べたが、矢内原に、このような志を起させたもう一つの動機は、彼の郷土の先輩、乗松雅休の朝鮮伝道であった。乗松は四国松山の人、最初の日本人朝鮮伝道者である。一八九六年、朝鮮に渡った。障害は数え切れぬほどあったが、中でも最大のものは、険悪な反日思想と貧しさであった。水原に住み、朝鮮人と衣食を共にし、同じ言葉で語るなかで、権力や組織からの援助の全くないどん底の貧しさこそが、苛酷な収奪に苦しむ朝鮮人とひとつになる紐帯であることを悟った。あまりの飢えに卒倒して、死に瀕したこともあった。家庭では、一切、日本語は使わず、子供たちにも朝鮮語のみを教えた。乗松は朝鮮人になりきり、水原の人々は深く乗松夫妻を尊敬し、その名声は近隣を越えて遠くまで伝わった。大集会がもたれ、集会は盛んになった。しかし、三・一独立運動は、乗松の目には軽挙妄動としかうつらず、一部過激分子の教唆によるものとしか理解できなかった。天皇への素朴な崇敬心を持ちつづけ、病気のため帰国していた小田原で、一九二一年二月、病没した。乗松に会うべく来日した金太熙《キムテヒ》らによって灰はひとつぶに至るまで集められて水原に埋葬、記念碑が建てられた。

　矢内原は、同郷の先輩として深く乗松を尊敬し、家庭の事情で朝鮮伝道の志を果すことができずに新居浜の住友別子鉱業所に勤務したが、乗松の所属した同信会の集会に度々出席し、そこで洗礼を受け、妻の死後は、同信会の有力なメンバー堀米吉の三女恵子と、同信会大阪集会所において結婚式をあげた。

東大経済学部助教授、後、教授として植民政策講座を担当、しばしば朝鮮に渡って調査および講演を行なったが、それには朝鮮同信会の強力な支援があった。(70) 矢内原が、朝鮮総督府の政治を、朝鮮人の立場に立って、烈しく批判しつづけたことは、人のよく知るところである。一九二四年の第一回の朝鮮旅行の成果は、二年後、東大での講義案に基づく『植民及植民政策』(一九二六年)のいたる所に反映している。一例を次に掲げよう。「私は朝鮮普通学校の授業を参観し朝鮮人教師が朝鮮人の児童に対し日本語を以て日本歴史を教授するを見、心中落涙を禁じ得なかった(71)」

当時、総督府が最も力を入れていた産米増殖計画に対し、「朝鮮産米増殖計画について」という論文を『農業経済研究』第二巻一号(一九二六年)に発表し、後、『植民政策の新基調』(一九二七年)に収めた。彼はその政策が被支配民族たる朝鮮人の犠牲においてなされている日本の帝国主義政策のいちじるしい事例であることを実証した。(72)

とくに、総督府政治を最も直接的に批判したのは「朝鮮統治の方針」である。『中央公論』一九二六年六月号に発表され、後、若干書き改められて『植民政策の新基調』に収められた。当時行なわれていた、いわゆる文化政治なるものの本質を次のように的確に指摘している。

「朝鮮は朝鮮人を主とする社会たるの事実を確認するは、統治政策決定の第一要件である。

朝鮮をして全然日本の利益にのみ服属せしめんとする従属政策は、この事実の無視であり、早晩朝鮮人の反抗を受けねばならない」[73]

「それ故に朝鮮に於ける中央行政は総督の独断専制である。かくの如き植民地統治制度は広き世界にも類例乏しきものである。殊に面積人口歴史に於て小規模ならざる植民地に就て見れば、恐らく世界唯一の専制的統治制度である。英国の多くの植民地中全然立法評議会を有せざるはアシャンチ、バストランド、ベチュアナランド、ジブラルタル、北ナイジェリア、北ゴールドコースト、セントヘレナ、ソマリランド、スワジランド、ウガンダ、威海衛、西太平洋の諸島である。之等の小面積の未開黒人〔ママ〕地域か或は艦隊根拠地と同等の政治的地位しか、わが朝鮮には認められて居ないのである。仏国植民地の多くにも、東洋方面についていえば仏領印度支那にも、又米国の比律賓にも、オランダのジャバにも、程度の差こそあれ住民の参政権は認められて居る。何が故に朝鮮に対しては総督の専制政治であるか。朝鮮人の政治能力が未だ発達せざるが故であるというか。前議会に於て若槻首相も台湾議会設置運動に関し、この理由により時期尚早を以て議員の質問に答えた。併乍ら何時になれば朝鮮人の政治能力は成熟せりと判断するのであるか。現在に於て朝鮮人の政治能力は比律賓人やジャバ人にも及ばずというのであるか。或は又朝鮮人は参政希望を有せずと。かく言う者の顔をば私は眼をまるくして見つめるであろう。朝鮮に行いて見よ。路傍の石悉く自由を叫ぶ。石はいくら叫んでも警官に睨まれないから。要するに朝鮮民衆に対して参政を認めざるは、政府が之を欲せずという以外、何等積極的の理由は存在し得ない(74)」

ついで一九四〇年（すでに東大追放後）、京城において、異状な決意をもってロマ書の講義を五日間にわたって行なった。その講義の中で、矢内原は次のようにいっている。

「私が今度朝鮮に来てここでロマ書のお話をするについても、人が聞けば笑うであろうかもしれませんけれども、私は恐るべきものを恐れ、祈るべき事を祈って、『主キリスト・イエスにある神の愛から我らを離れしむる者は誰もない』というその確信を与えられて、始めてここに立つ事が出来たのです。（中略）私は今度朝鮮に聖書の講義をする為に出かけて参りますときに自分の集りの青年たちに言い遺して来ました、『私の告別式にはロマ書八章の三十一節以下を読んでくれ(75)』と」

矢内原と天皇制

当時、朝鮮人の立場に立って、これだけ総督府批判をするということは、きわめて危険な行為であった（矢内原は同じく、当時、軍閥ファシズムに対する批判をも行なっている）。しかし、このような危険な行為を、矢内原をして敢えて行なわしめたのは、キリスト教の基本的人権思想によるものであった。より具体的にいえば、当時、矢内原は、すでに、国民統合の基礎としての天皇制＝国家神道＝民族エゴイズムの魔力から完全に脱却していたのである。このことは、敗戦直後の彼の論文から明瞭によみとることができる。まず国家神道について。

「此の度マッカーサー司令部の指令により国家と宗教の分離が行われました。之は甚だ意味の深い大事業でありまして、之も亦過去に於て多くの我々の先輩が戦って来たけれども、どうしても実行出来なかった問題を、マッカーサーの指令によって一刀両断に解決したのであります。此の点に於ても私は神の指が確かに働いていると思うのであります。御承知のように従来に於て神社は宗教にあらずということを政府の立て前としながら、事実に於て神社を宗教的信仰の対象として国民に強制した。学校の生徒を神社参拝に連れて往くとか、家庭に大神宮の神棚や大麻を置かせるとか、色々の強制がありました。之は許す事の出来ない信仰に対する迫害であります。然るに今そういう強制が凡て除かれまして、実際に信仰的自由が与えられました(76)」

次に民族エゴイズムについて。

「国民の道義心が低級であるから、それで戦争に敗けたのである。日本人の道義心が如何に低級であるかは戦争中にもよくわかりましたけれども、敗戦直後から今日に至る迄の混乱状態を見ると、如何にも低級卑劣であることが嘆かれます。日本人は死ぬる事を知って生きる事を知らない。『武士道は死ぬることと見つけたり』などと言いまして、如何に生くべきかを知らないんです。だから死なかった者が、生きて往く道を知らない。死ねば護国の鬼となった者が生きて強盗になったり、そういう実に悲惨な結果を生じておるのであります。之は生きる道としての道義心が養われておらないからである。それで戦争に敗けたのは当然だ、というのであります(77)」

次に天皇制について。

「一体、神を知ることは人間を知る事であると私が申しましたが、それは神と人との区別を知るという事であるのです。知識の第一歩は区別です。神と人との区別を知る事、之が神に就いての知識であり、同時に人に就いての知識です。然るに特攻隊の勇士が神であったり、戦死した将兵の遺族が神の遺族であったりしますと、神と人との区別がわからない。日本では高天原の神話以来、神と人との区別がはっきりついておらないのです。

然るに此の問題に就いて何よりも大きな反省と解決を日本国民に与えたのは、今年の元日に発せられた天皇陛下の詔書であります。『朕は現御神にあらず』。ここに区別が与えられたのである。天皇と神との峻別がなされた。是は日本国民の精神史に於て特筆大書すべき大事件であるのです。日本古代の勅語を集めた宣命には、天皇は自ら『現御神』或は『現人神』と言った表現がある。近年に到って国体論者はこの観念を極度に高調致しまして、天皇は人であるということを一言言ったが為に不敬罪に問われた者は少なくないのであります。それが従来の日本であったのです。

然るに今や先程申しました年頭の詔書が発布せられまして、此の問題に就いての革命的な声明が行われたのであります。今や日本人の神観は百八十度の転回をして、全く新しい基礎に立て直されなければならないのであります。是は政治的革命などと比べて、比較にならぬほど重要な根本的な革命であります(78)」

しかし、戦後復興の第一前提と彼が考えた国民の罪の悔い改めが不充分であるのみならず、天皇自身の罪の悔い改めが、すこぶる不充分であると、矢内原ははばかることなく指摘する。

「新憲法の発布に際して私の最も遺憾としたことは、昨年八月終戦以来、本年十一月の新憲法発布に至る間に、一度も国民的悔改の行われなかった事実である。私は柔和なる今上陛下を衷心敬愛し、且つ御同情申上げて居る。併し未だ陛下の唇より悔改の御言の公に出でたことを聞かない。単に国民と苦難を共にし給うというに止らず、明治天皇が『罪あらば我をとがめよ天つ神、民はわが身の生みし子なれば』と詠じ給うたような宗教的責任感を自覚し給うのでなければ、戦争と敗戦との精神的結末がつかないであろう。皇室も政府も国民も国家的に罪の悔改を公にすることなくして発布した新憲法は、神の前にはその基礎脆弱である。それ故に私は預言者イザヤと共に泣き悲しみ、衆と共に新憲法発布祝賀の催しに参加する気になれなかったのである」(79)

もちろん、天皇の問題にせよ、主権在民の制度にせよ、平和国家の宣言にせよ、新憲法を活かすものは、キリスト教の信仰である。その意味で矢内原は、天皇に聖書を読むことをすすめる。

「私共は天皇陛下を愛し敬って、日本国民の国民生活の首と仰ぎ中心として崇めます。併し陛下、今の状態の儘ではいけません。聖書をお学びになれば、陛下御自身の御心が平和を得、希望を得、勇気を得、頼り所を得られます。陛下に洗礼をお受けなさいとか教会にお出でなさいとか、そんな事を私申すのではありません。陛下を基督教徒にしようというのではありません。けれども聖書を学んで頂きたい。それがやがて国の復興の模範となり、基礎となるのであります。遠き昔伝わったところの仏教を日本の皇室が信ぜられて、どれほど美しい果を結んだか。そのために日本の国体は少しも汚れないのみならず、如何に美しい果を日本の歴史の上に結んだか。神が陛下に聖書をお学びになる絶好の機会を、今提供しておられるのであります(80)」

あの明敏な矢内原忠雄が、果して天皇が聖書を学ぶと信じていたのだろうか。今となっては、私たちに何ともいえないことだが、少なくとも戦時中において、矢内原が、天皇制=国家神道=民族エゴイズムに対して明確に批判的立場に立っていたことは明らかである。

ではなぜ、矢内原は、時代を超越して、このような立場に立ち得たのだろうか。キリスト教の信仰というだけでは、当時の大部分の日本のクリスチャンをみるならば、それは何の答えにもならない。彼をこの立場に導いたものは、もちろん、根本的にはキリスト教の信仰だが、より直接的には、彼の専攻する学問である植民政策、すなわち植民地における被支配民族の目をもって、(日本民族の目と共に)社会現象をみたということによるとおもう。

偉大なる矢内原とくらべるべくもないが、私自身のまずしい体験からも、そのことはいえるとおもう。一九六八年、偶然ひとりの密航してきた韓国人政治犯の強制送還阻止運動にかかわったことがきっかけとなって、以来二三年間、在日韓国・朝鮮人問題にたずさわってきたが、そのことが、「日の丸」「君が代」問題はじめ、日本人の目にはみえない事実の真相をみぬく力を私に与えてくれた。私はもちろん生まれながらの日本人であるが、同時に（実際上、不可能のことだが、いわば理想として）、在日韓国・朝鮮人の目でもみようとするとき、日本人の目にはみえないものがみえてくるという経験をしばしばした。これを私は、ひそかに、両眼の思想となづけている。このような私のまずしい経験から、矢内原の思想を理解できるようにおもう。

藤井武とアメリカ

矢内原と同じく内村の高弟であり、矢内原の義兄でもあった藤井武は、矢内原とは違った面において、内村の思想を継承した。上記のように大正から昭和前期に流行した（そして、今日でも）「近代的キリスト教」の根底には、日本のインテリ特有の朱子学的性向があり、それが、彼らに、アメリカのキリスト教を「自己意識」の乏しい浅薄な信仰とおもわせたのであった。
内村は、アメリカを第二の故郷と思っていただけに、アメリカのキリスト教が次第に世俗化していくことに対して、失望も大きかった。上述のように、彼は、アメリカのキリスト教を、人間の行為や業績を自己目的化し偶像視する傾向があらわれてきたことに対して批判を強めていった。しかし、その反面、アメリカのキリスト教のもつ自由・平等思想、すなわち基本的人権を尊重する思想を決して忘れることはなかったが、すべてを極端に表現する内村のアメリカ・キリスト教に対する失望は、日本のインテリに特有な朱子学的性向と結びついて、彼の弟子たちに受け継がれていった。たとえば彼の高弟藤井武は、その著『聖書より見たる日本』（一九二九年）において、「聖霊米国を去る」とさえ極言している。

「アメリカの基督教はキリストの教ではない。ローマのローマ教と同じように、それは福音ならぬアメリカ教である。ローマがその組織的統一的特性を以て福音を死せる巨大なる形骸の中に封じ込んだと同じように、アメリカはその商売的事務的特性を以て福音を世俗の事にまで堕落せしめた。ローマ教の偽善に対し、アメリカ教は極端に浅薄である。（中略）

誠に北米合衆国自体が浅薄国である。その祖先ピウリタンの血は涸れた。ワシントン、リンカンの大統領たりし時代は過ぎた。ブライアント、ホイッチヤの声さえ消え果てた。現代の米国に、詩はない、哲学はない、芸術はない。偉大なる科学もない、正義の政治もない、高貴なる教育もない。有るものは何か、曰く金である、ただ金である、金、金、金。米国の所有はこの一物に尽きる。金と金にて購い得るものならば何程にてもある。太平洋頭『金門』の中に燦然として輝き驕るは実に世界一の黄金国である。（中略）

米国の基督教は現世教である。彼らは聖書の教えるような、来世に至て徹底完成せらるべき遠大なる人生を観ることが出来ない。彼らは栄光の日を望みつつ喜びて十字架を負うがごとき生涯の味を知らない。彼らの救の目的は数ふるに足らぬ現世の成功である。従て彼らの信仰は浅薄なる処世道又は平凡なる修養法の一つに過ぎない。如何にして世の信用をかち得んか。如何にして忠実なる市民たり得んか。かくて彼らは世と共に歩み世と共に生きる。彼らは神と富とに兼ね仕える。米国に於て最も良き畑を見出したる基督教男女青年会の状態を見れば、思い半ばに過ぎる。

米国の基督教は事業教である。彼らは罪人として自己の如何にみじめなるものであるかを知らず、斯る者に対する神の恩恵の如何に限りなく深大であるかを思い見ることとあたわず、従てひたすら之に信頼することの如何に神の子らしき事であるかを覚らない。『なんぢら立ちかえりて静かにせば救をえ、穏かにして依り頼まば力をうべし』というが如きは彼らの信じ得ず味い得ざる真理である。彼らは神の恩恵よりも人の行為に頼り、行為の精神よりもその結果について苦慮する。彼らは働け働け共同して働けというて、自分たちの力によって神の国を築かうとする。その信仰よりも行為を重んずる点に於て、アメリカ教はローマ教と少しも異ならない。

米国の基督教は機械教である。彼らは霊魂が霊魂に向て働きかける微妙なる法則を解せず、人格と人格との奇しき接触の関係を知らず、すべて神秘の消息に参ずることが出来ない。彼らに取ては霊魂は財貨のごとく、意思は機械のごとく、人生は大なる商店又は工場と異ならない。彼らは霊的生命のはたらきを統計表に於て読もうとする。彼らの伝道は資本と労力とに応じて生産額を予定せらるる経済的企業の一種である。また彼らのうち正統派の信仰を標榜するものは、死せる儀文の使徒である。例えば法律を以て進化論の教授を禁止せんことを主張する名士ブライアンの如きを見よ。群小正統信者は素より彼の亜流に過ぎない。

之を要するに、米国の基督教は大体に於て浅薄そのものである。米国人の著書を見よ、何処にヨブのような深刻なる声があるか、何処にエレミヤのような熱情の叫びがあるか、何処にヨハネのような透徹した直観があるか。何処にパウロのような偉大なる論理があるか、何処にイエスのような生き生きしたる面影があるか。(中略)

明白なる一事は、米国の基督教は断じてナザレのイエスの教ではない事これである（勿論個人的には極めて少数の例外はある）。それはアメリカ教であって、恰も往年のローマ教と同じくキリスト教の仮面を被れる悪魔の教である。米国は実に近代のローマである」[81]

この藤井の書物が出版されてから一五年後に、日本基督教団統理・富田満の署名によって、「日本基督教団より大東亜共栄圏に存る基督教徒に送る書翰」が発表されたが、両者の間には、きわめて類似した思想が認められる。「書翰」は、米英のキリスト教を排撃する。

「彼らの敵国人は白人種の優越性という聖書に悖る思想の上に立って、諸君の国と土地との収益を壟断し、口に人道と平和とを唱えつつ我らを人種的差別待遇の下に繋ぎ留め、東亜の諸民族に向って王者の如く君臨せんと欲し、皮膚の色の差別を以て人間そのものの相違でもあるかのように妄断し、かくして我ら東洋人を自己の安逸と享楽とのために頤使し奴隷化せんと欲し、遂に東亜をして自国の領土的延長たらしめようとする非望を敢てした。確かに彼らは我らよりも一日早く主イエスの福音を知ったのであり、我らも初め信仰に召されたのは彼らの福音宣教に負うものであることを率直に認むるに吝かではないが、その彼らが今日飽くなき貪りと支配慾との誘惑に打ち負かされ、聖なる福音から脱落してさまざまの誇と驕慢とに陥り、如何に貪婪と偽善と不信仰とを作り出したかを眼のあたり見て全く戦慄を覚えざるを得ない。かくの如き形態を採るに至った敵米英の基督教は、自己を絶對者の如く偶像化し、嘗て使徒がまともに其の攻撃に終始したユダヤ的基督者と同一の型に嵌ったのである」[82]そして、内村の名を出して、大東亜には大東亜の伝統と歴史と民族性とに即した「大東亜の基督教」が樹立されなければならないという。

「我国の有力な基督者の一人である内村鑑三は、当時欧米文明の滔々たる輸入と憧憬との支配していた時代風潮の中にあって『世界は畢竟基督教によりて救わるるのである。而かも武士道の上に接木せられたる基督教に由りて救われるのである』と喝破した。彼は夙に欧米の特に米国の宣教師が成功と称して勢力と利益と快楽とを追求する信仰を非信仰として排斥し、宣教師の一日も早く日本より退散して、日本人の手による日本国自生の基督教の必要を叫んだ先覚者である」[83]

今回、遂に、諸教派を打て一丸とした「日本基督教団」の成立をみた。

「而して遂に名実とも日本の基督教会を樹立するの日は来た、我が皇紀二千六百年の祝典の盛儀を前にして我ら日本の基督教諸教会諸教派は東都の一角に集い、神と国との前にこれら諸教派の在来の伝統、慣習、機構、教理の一切の差別を払拭し、全く外国宣教師たちの精神的・物理的援助と覊絆から脱却、獨立し、諸教派を打つて一丸とする一国一教会となりて、世界教会史上先例と類例を見ざる驚異すべき事実が出来したのである。これはただ神の恵みの佑助にのみよる我らの久しき祈の聴許であると共に、我が国体の尊厳無比なる基礎に立ち、天業翼賛の皇道倫理を身に体したる日本人基督者にして始めて能く為し得たところである。

かかる経過を経て成立したものが、ここに諸君に呼びかけ語っている『日本基督教団』である。その後教団統理者は、畏くも宮中に参内、賜謁の恩典に浴するという破格の光栄に与り、教団の一同は大御心の有難さに感泣し、一意宗教報国の熱意に燃え、大御心の万分の一にも応え奉ろうと深く決意したのである(84)」

そして、日本の国体、天皇制を礼讃して、日本基督教団の指導に従えという。

「抑々我が日本帝国は、万世一系の、天皇これを統治し給い、国民は皇室を宗家と仰ぎ、天皇は国民を顧み給うこと親の子におけるが如き慈愛を以てし給い、国民は忠孝一本の高遠なる道徳に生き、その国柄を遠き祖先より末々の子孫に伝えつつある一大家族国家である。我ら国民は、畏くも民を思い民安かれと祈り給う天皇の御徳に応え奉り、この大君のために己自身は申すまでもなく親も子も、夫も妻も、家も郷も、悉くを捧げて忠誠の限りを致さんと日夜念願しているのである。(中略)分裂崩潰の前夜にある個人主義西欧文明が未だ一度も識らなかった『凡そ尊ぶべきもの』が、東洋には残っている。我らはこの東洋的なものが、今後の全世界を導き救うであろうという希望と信念において諸君と一致している。全世界をまことに指導し救済しうるものは、世界に冠絶せる万邦無比なる我が日本の国体であると言う事実を、信仰によって判断しつつ我らに信頼せられんことを」(85)

もちろん、藤井が天皇制を礼讃したという事実は全くない。しかし、アメリカのキリスト教に対する反感、ひいてはアメリカそのものに対する反感が、幕末以来の大アジア主義ときわめて近い位置にあることをそれは示している。大アジア主義と天皇制が民族的自立という思想を媒介として固く結びついていたことを思うならば、大東亜戦争の敗北によって、ひとたび、大アジア主義が否定されるまで、日本人キリスト者が、民族的自立の思想、すなわち天皇制から完全に脱却しえなかったことは当然ともいえよう。

第八章　ふたたびイエスを殺すもの

国家神道とユダヤ教とは、ともに強烈な民族エゴイズムを内包する宗教であるが、上記のように、ユダヤ教の中には、旧約聖書を一貫する「寄留の他国人と寡婦と孤児をあわれめ」という戒めがあり、それがイエスの「隣り人を愛せよ」という思想に連なり、やがてイエスの死という尊い犠牲をきっかけとして、ユダヤ教の民族エゴイズムを打破することになったが、日本の国家神道の中には、それを内部から打破する契機は全く存在しない。それが敗戦によって外部から、すなわち米軍の占領政策によって否定されるまで、遂に変革されることなく継続した理由である。

敗戦によって成立した日本国憲法第一一条には、「国民は、すべての基本的人権の享有を妨げられない。この憲法が国民に保障する基本的人権は、侵すことのできない永久の権利として、現在及び将来の国民に与えられる」と、はっきり基本的人権を認めている。明治以来一貫して、民族エゴイズムによって国民の統合を行なってきたその政府みずからが、はじめて基本的人権を認めたのである。くりかえして記すが、民族エゴイズムは日本民族の人権のみを認める思想であり、これに対して基本的人権は、日本民族のみならず、すべての民族の人権を認める思想である。以来、日本政府が日本国憲法を認めたがらないのは、第九条に戦争・軍備放棄の規定があるからだといわれてきたし、私も、もちろん、それを否定するものではないが、より根本的には、第一一条に民族エゴイズム否定の規定があるからだとおもう。敗戦とともに、日本政府がみずから基本的人権を認めたところに、日本国憲法の画期的な意義がある。

横田喜三郎は、東大法学部教授、最高裁長官、文化勲賞授与者という経歴からもわかるように、反体制側の人間とは考えられないが、その著『天皇制』(一九四九年)によれば、大日本帝国憲法が日本国憲法に変ることによって、天皇制は廃止されたのだといっている。[86] その理由は三点、すなわち天皇の地位、基礎および権能における根本的な変化による。

まず地位。戦前は天皇が主権者であったが戦後は国民が主権者である。天皇は国民の一人なのだから主権者だという人があるが、国権の最高機関であり、国の唯一の立法機関である国会の議員について、天皇は選挙権も被選挙権もないのだから、国民の一人ということはできない。[87] 第二に、その主権の基礎であるが、戦前には天照大神の神勅によるものとされていたが、戦後は、主権の基礎は日本国民の総意に基づくと明瞭に記されている(日本国憲法第一条)。[88] 最後に、その権能であるが、戦前には立法権、行政権、司法権の最終的責任は天皇にあったが、戦後は立法権は国会、行政権は内閣、司法権は裁判所にあり、天皇にはない。天皇は国の政治（国政）に関する行為は一切行なうことができず、ただ国の事務（国事）に関する行為のみ行なうことができる。このような最も重要な三点において戦前とは全く変ってしまったのだから、天皇制は廃止されたものといわなければならないと、横田はいう。[89] ところが、最近、政府は、戦前と戦後の天皇制の違いをことさら不明瞭にし、天皇があたかも主権者であるかのごとき印象を国の内外に強調しはじめている。

戦後の四五年間は、基本的人権と民族エゴイズムとの絶え間ざる闘争の歴史であったということができる。政府が基本的人権を認めていたのは、わずかに戦後五年間ほどであり、一九四九年の中国革命の成功、それにともなうアメリカ極東政策の一大変革により、日本の再軍備がはじまると同時に、日本政府は再び民族エゴイズムによる国民統合という明治以来の政策に逆もどりしてしまった。

しかし、日本国憲法の制定とブルジョア民主主義（戦後民主主義）の実施をひとたび経験した日本人は、政府の骨抜き政策にもかかわらず、基本的人権を守りぬこうと決意した。こんにち、どこまで日本人の間に基本的人権思想が広まったかを示す一つの指標として、在日韓国・朝鮮人問題をあげることができる。なぜなら、民族差別の撤廃と基本的人権の普及とは、並行の関係にあるからである。くわしい説明をはぶくために、年表風に説明してみよう。

在日韓国・朝鮮人問題に対して、画期的な意味をもったのは、一九七〇年一二月から一九七四年六月まで四年間にわたって行なわれた日立就職拒否反対闘争である。在日二世朴鐘碩《バクチョンソク》が、ひとたび採用を内定された日立製作所ソフトウェア戸塚工場から韓国人の故をもって採用を拒否されたことを憲法違反として横浜地裁に提訴し、それに勝訴したことは、韓国・朝鮮人にも日本人にも自信を与え、両者の連帯による人権獲得運動の出発点となった。以後、一九七二年四月以後、国民健康保険からの国籍条項の撤廃、一九七五年四月、日本育英会の国籍条項撤廃、一九七七年四月、金敬得《キムギョントク》の司法修習生採用、一九七八年四月、高昌重《コチャンジュ》の電電公社入社、一九七九年九月、玄茂男《ヒョンムナム》の第一ブラス社入社、同九月、国際人権規約を日本政府批准、一九八〇年四月、住宅金融公庫、公営住宅の入居資格から国籍条項の撤廃、同年四月、李慶順《イキョンスン》の韓国籍のまま三重県の公立学校教員の採用、同年一〇月、韓宗碩《ハンキョンソク》の外国人登録法による指紋押捺拒否、以後、指紋拒否運動は全国的に広がった。一九八一年一月、国際難民条約を日本政府批准、不充分ながら国民年金、児童手当等を定住外国人にも適用するに至った。一九八一年四月、滋賀県公立学校教員採用につき国籍条項を撤廃、しかし、公立学校における外国人採用拒否はなお全国約三〇県に及んでいる。

一九八二年八月、国公立大学への外国人教員任用につき公務員特別措置法を制定したが、翌九月、文部省は次官通達によって高校以下の公立学校への外国人教員任用を禁止した。同一〇月、外国人登録法改正、一九八四年五月、郵政省が外務職から国籍条項撤廃、一九八六年六月、自治省が看護専門職の公立病院採用につき国籍条項撤廃、一九八七年九月、一九九〇年五月、外国人登録法改正。

このような基本的人権思想の広がりに、政府は不安といらだちを強めている。おそらくそれは、基本的人権が広まり、民族エゴイズムが弱体化されることによって、いままで保たれてきた国民統合のワクがはずれ、ばらばらになってしまうのではないかと危惧しているものとおもわれる。

政府の民族エゴイズムを強化しようとする復古的な動きは、最近とみに強まっている。たとえば、教科書検定問題、靖国神社公式参拝問題、藤尾、奥野、中曽根の暴言・失言そして文部省の学習指導要領の「君が代」「日の丸」強制など、すべてその表れに他ならない。最近において政府は、天皇の即位礼、大嘗祭を、憲法の禁止する祭政分離の規定に反することを認めながら、敢えて莫大の国費をもって行なうことにより、祭政一致への突破口を切りひらこうとしている。天皇がどれだけ憲法を遵守すると誓約しようとも、天皇が、いぜんとして国家神道と結びついているかぎり、天皇制は民族エゴイズムと無関係ではありえないのである。

今、政府がやっていることは、冒頭に述べたように、かつてユダヤの大祭司カヤパが、イエスを犠牲にして民族エゴイズムを強化し、民族的団結を強化しようとしたのと全く同じことである。私たち日本のキリスト者は、民族エゴイズムを強化し国民統合をはかろうとするカヤパの道にすすもうとするのか。それはイエスを殺そうとする道である。あるいは、イエスとともに、民族エゴイズムを否定し、基本的人権に基づく新しい国民統合の道にすすもうとするのか。

最近、地球はますます狭くなり、世界は国際化の方向にすすんでいる。日本もまた、好むと好まざるとにかかわらず、国際化の方向にすすまざるをえない。民族エゴイズムに固執する日本政府といえども、国際化の必要を力説する。しかし、私たちの目前には、今、二つの国際化の道が示されている。民族エゴイズムに固執するまやかしの国際化か。基本的人権に基づく真の国際化か。

まやかしの国際化は、早晩、世界の人々の前に、ばけの皮がはがされるであろう。日本の将来は、真の国際化の方向にすすむしかない。それは、日本国憲法に基づく方向であり、私たち日本のキリスト者にとっては、イエスに従い行く道である。

注

(1) 日本聖書協会『聖書』(一九五五年)による。以下、聖書からの引用はすべて同様。
(2) 関根正雄『旧約聖書序説』(関根正雄著作集第四巻、一九八五年)。
(3) 福島正夫、利谷信義「明治前期における戸籍制度の発展」(福島正夫編『「家」制度の研究・資料篇一』一九五九年)四七ページ。
(4) 千葉正士「東亜支配イデオロギーとしての神社政策」(『日本法とアジア』、一九七〇年)三〇〇ページ。韓晳曦『日本の朝鮮支配と宗教政策』(一九八八年)一七四ページ。
(5) 千葉正士「一市町村一神社の理念と総鎮守の制」(『社会と伝承』八巻一号、一九六四年)。
(6) 千葉正士『学区制度の研究』(一九六二年)三四五—三四六ページ。
(7) 井上清『天皇制』(一九五三年)一五—一六、二七ページ。
(8) 横田喜三郎『天皇制』(一九四九年)一一—一三ページ。
(9) 山住正己『日の丸・君が代問題とは何か』(一九八八年)一五—四九ページ。
(10) 朴慶植《パクキヨンシク》『日本帝国主義の朝鮮支配』上(一九七三年)一四八—一五〇ページ。
(11) 前掲書、下(一九七三年)六五ページ。
(12) 旗田巍「日本人の朝鮮観」(アジア・アフリカ講座第三巻『日本と朝鮮』、一九六五年)五—一〇ページ。

(13) 韓、前掲書一六二―一七九ページ。
(14) 鈴木静夫・横山真佳編著『神聖国家日本とアジア』(一九八四年) 九八―一一九ページ。
(15) 韓、前掲書、一八〇―二〇五ページ。
(16) 山本泰次郎訳編『内村鑑三の生涯・ベルへの手紙』(角川文庫、一九五二年) 四六―五一ページ。
(17) 前掲書、八―一〇ページ。
(18) 小沢三郎『内村鑑三不敬事件』(一九六一年) 一五九―二一〇ページ。
(19) 韓、前掲書、二一五ページ。
(20) 小沢三郎、前掲書、一四四―一四五ページ。
(21) 内村鑑三「基督信徒の慰」(『内村鑑三全集』第二巻、一九八〇年) 一八―一九ページ。
(22) 内村鑑三「文学博士井上哲次郎君に呈する公開状」(『内村鑑三全集』第二巻、一九八〇年) 一二六―一三三ページ。
(23) 内村鑑三「私の愛国心に就て」(『内村鑑三全集』第二九巻、一九八三年) 三五一―三五二ページ。
(24) 内村鑑三「余が非戦論者となりし由来」(『内村鑑三全集』第一二巻、一九八一年) 四二三―四二六ページ。
(25) 砂川万里『海老名弾正・植村正久』(一九六五年) 七九―八〇ページ。
(26)『海老名弾正説教集』(一九七三年) 一五四―一五八ページ。
(27) 砂川万里、前掲書、一七一―一七三ページ。
(28) 砂川万里、前掲書、一七八―一八〇ページ。
(29) 植村正久「大日本の朝鮮」(『植村正久著作集』第二巻、一九六六年) 二五五―二五九ページ。

(30) 植村正久「朝鮮のキリスト教」(前掲書) 二五九—二六二ページ。
(31) 海老名弾正「朝鮮の教化」(海老名『国民道徳と基督教』一九一二年) 一一九ページ。
(32) 前掲論文、一一二ページ。
(33) 前掲論文、一一八ページ。
(34) 前掲論文、一一八—一一九ページ。
(35) 海老名弾正「併合後の朝鮮」(前掲書) 一二三ページ。
(36) 海老名弾正「朝鮮基督教徒の使命㈠」(前掲書) 一三三—一三六ページ。
(37) 古屋安雄・大木英夫『日本の神学』(一九八九年) 一五四ページより引用。
(38) 海老名弾正「朝鮮の教化」(前掲書) 一一二—一一三ページ。
(39) 砂川万里、前掲書、五〇—五一ページ。
(40) 前掲書、五五—五六ページ。
(41) 植村正久「日本の教会はいかにして運転せらるるか」(『植村正久著作集』第二巻、一九六六年) 八四—八五ページ。
(42) 植村正久「明治二十七年最終の刊行に題す」(前掲書) 八五—八六ページ。
(43) 砂川万里、前掲書、一八五—一八六ページ。
(44) 内村鑑三「回顧三十年」(『内村鑑三全集』第二巻、一九八〇年) 七四—七五ページ。
(45) 内村「余は如何にして基督信徒となりし乎」(『日本の名著・内村鑑三』、一九七一年) 一四三—一四四ページ。
(46) 松沢弘陽「近代日本と内村鑑三」(前掲書) 五三ページ。

(47) 内村「地理学考」(『内村鑑三全集』第二巻、一九八〇年) 四三六ページ。
(48) 内村、前掲論文、四三七ページ。
(49) 内村「亜米利加的基督教」(『内村鑑三全集』第一二巻、一九八一年) 二四二—二四三ページ。
(50) 高倉徳太郎『福音的基督教』(一九五五年) 九八ページ。
(51) 前掲書、一〇〇ページ。
(52) 前掲書、一〇二—一〇三ページ。
(53) 島田虔次『朱子学と陽明学』(一九六七年) 三三—三四ページ、島田『大学・中庸』(一九六七年) も参照。
(54) 海老名「基督観 (その二)」(『新人』二巻九号、一九〇一年)
(55) 海老名「予が罪悪感」(『新人』七巻七号、一九〇六年)
(56) 海老名「君主国の意義」(『新人』四巻二号、一九〇三年)
(57) 内村「自己意識に就て」(『聖書之研究』二六一号、一九二二年四月)
(58) 内村「現代神学に就て」(『聖書之研究』二八四号、一九二四年三月)
(59) 韓晳曦・飯沼二郎『日本帝国主義下の朝鮮伝道』(一九八五年) 八五—一四六ページ。
(60) 内村「領土と霊魂」(『聖書之研究』一二三号、一九一〇年九月)
(61) 高崎宗司「内村鑑三と朝鮮」(『思想』六三九号、一九七七年九月)
(62) 高倉、前掲書、三ページ。
(63) 山本茂男「基督に生くる道」(『共助』一九三四年四月号)
(64) 山本「罪の認識」(『共助』一九三四年八月号)

(65) 鶴見俊輔「明石順三と灯台社」(『鶴見俊輔著作集』第二巻、一九七五年)三八七—三九五ページ。
(66) ホーリネス・バンド昭和キリスト教弾圧史刊行会『ホーリネス・バンドの軌跡』(一九八三年)七二五ページ。
(67) 前掲書、四七九ページ。
(68) 前掲書、七一八ページ。
(69) 前掲書、七三五—七四〇ページ。
(70) 韓・飯沼、前掲書、第一章。
(71) 矢内原忠雄「植民及植民政策」(『矢内原忠雄全集』第一巻、一九六三年)三二五ページ。
(72) 矢内原「朝鮮産米増殖計画について」(前掲書)六九二—七二四ページ。
(73) 矢内原「朝鮮統治の方針」(前掲書)七三六ページ。
(74) 矢内原、前掲論文、七三九—七四〇ページ。
(75) 矢内原「ロマ書講義」(『矢内原忠雄全集』八巻、一九六三年)一六九ページ。なお、幼方直吉「矢内原忠雄と朝鮮」(『思想』一九六五年九月号)を参照。
(76) 矢内原「日本の傷を医す者」(『矢内原忠雄全集』第一九巻、一九六四年)一七四ページ。
(77) 矢内原、前掲論文、一七七ページ。
(78) 矢内原、前掲論文、一八九—一九〇ページ。
(79) 矢内原「新憲法について」(『矢内原忠雄全集』第一九巻)二四九—二五〇ページ。
(80) 矢内原「日本の傷を医す者」一五八ページ。
(81) 藤井武「聖書より見たる日本」(『藤井武全集』第二巻、一九七一年)五二六—五二九ページ。

(82) 森岡巌・笠原芳光『キリスト教の戦争責任』(一九七四年)二九〇ページ。
(83) 前掲書、二九五ページ。
(84) 前掲書、二九六ページ。
(85) 前掲書、二九三ページ。
(86) 横田喜三郎『天皇制』(一九四九年)一一六ページ。
(87) 前掲書、三一一〇、四八一四九ページ。
(88) 前掲書、一一一一九、六八一七四ページ。
(89) 前掲書、二〇一二五、七四一九四ページ。

あとがき

先頃、中東湾岸戦争にさいして、日本は戦後はじめて、倫理的・論理的な発言を世界に対して行なうことができた。アメリカ政府のしつような要求に応じて、二回まで自衛隊の海外派兵を行なおうとした日本政府の企図は、日本国憲法に反するという日本国民の大きな反対によって挫折させられた。これは、戦後四五年、日本国憲法の精神が草の根まで滲透してきたことを示す事件であった。戦後四五年は、決して無駄にすぎたものではないということを、改めて痛感せしめられた。

好戦熱にうかされている多くのアメリカ人にとって、このような日本国民の意志表示は、きわめて不快なものであったようである。「日本は金を出すが汗をかかない」という非難が、しばしば、アメリカから日本に伝わってきた。

ブッシュ大統領は、海部首相に対して、「日本は憲法によって行動を制約されていることは理解できる」といった。私たちは、このような言葉を反駁するために、日本の市民八二名のよびかけによる意見広告を、一九九一年三月一八日のニューヨーク・タイムズに発表した。日本国憲法の前文と第九条を掲げ、日本国憲法は「制約」どころではなく、国際社会への貢献であることを主張した。

これに対して、このような意見広告はアメリカ人からの強い反撥を招き、在米日本人に被害を及ぼすおそれがあるとの新聞記事もあった。しかし、日本人は基本的人権の尊重を明記した日本国憲法を、いかなる状況の下にあっても、はっきりと守る国民であることを、アメリカ人に知らせたことは、ながい目でみれば、反撥どころか、真の友好の基礎をきずくことになったと考えられる。

しかし、アメリカ人のみならず、日本政府をはじめ、日本人の中には、基本的人権を守ることに反対し、民族エゴイズムに固執する人々も少なくない。ごく最近でも、私たちが、湾岸戦争に反対し、また京都市内の小・中学校の入学式・卒業式において、「君が代」斉唱を強制しないようにと、京都市教育委員会に申し入れた新聞記事に対して、私に対する非難・攻撃の手紙が相次いだ。その二、三を次におめにかけよう。

「『平和憲法』は間違っています。こちらが戦争に反対していても、クウェートの様に一方的に相手から侵略されたら、戦ってはいけないのですか!! 又、その弱い国を助けるのが何故いけないのですか!! よくもあなたは、多国籍軍を非難し、弱者を助けるため多くの血を流した人々を対岸の火災視してくれましたネ!! 平和憲法は改正、自衛のため、又、弱い国を支援するための参戦は絶対に支持すべきであると私たち女性でさえ思います。私たちは現場(サウジ)の市民たちの一部と連絡(交友が)があり、どんなに軍隊の弱い国がひどい目にあったかを知り、平和反戦運動が間違いであった事も知りました。

仮に、私達のうち男子学生があなたの体を傷つけ、あるいは御家族に暴行しても、あなたは平和が正しいから、といって、抵抗もしないのですか。警官も呼べないわけですネ!! 何故なら、警察もピストルという人殺し道具を持ってをり、あなた方にテロや暴行をする人たちが同じく武器をもっていたら殺し合い(つまり小さい戦争になり)、あなたの理論では、結局あなたの家族は戦いがイヤだから、とゆうわけで、全滅してしまうわけです。それでもあなたは反戦平和にいかなる場合でも同意するのですか!! あなた自身も政府の(警察の)保ご下にあるからこそ、安全に生活していられるとゆう事をよくよく考えてみなさい、もうハンコでおした様な「平和憲法・反戦平和」はごめんです。人間には生きるため、自分や他人を守る権利があるハズです!! クウェートの人やイラン市民がどんなに残虐な事をされ、夫や妻や子供を失ひ、悲惨な目にあい、多国セキ軍が市を奪回した時どんなによろこび迎えたのか、歓喜して感謝したか、あなたはそれには目をつぶって、これからも資本主ギ国(主として欧米、或いはサウジ等王制国家)を批判しその正義のための戦争に否定をするのですか!!

私たちはもうあなた方インテリ評論家や教授の左よりの偏った世界観にもう欺かれません。明確に今回の戦争が正しい行為である事がハッキリとしたためです。今回は国から給料をもらうぜいたくな(少くとも中東の人からみて)生活をしながら、その政府(自分の国日本)を批判ばかりし、社会主ギの方へは、少しも非難しないあなたのあきれた、左偏向のイデオロギーをよく反省しなさい。片手を失ひ、血みどろになって戦った人々にあやまりなさい。クウェート大使館(在日)えも反省と謝罪の手紙を送りなさい。戦争が初まれば、いつも大国の方が悪いとゆう考えはもう今後は通用しません、社会主ギ国の残虐性もバルト三国えの弾圧や天安門事件で立証されました。そんな事から推定していづれの国が正しい国か、あなたはまだ解らないのですか?! 反省し心から、血を流して死んでいった(フセイン打倒のため)イラク抵抗組織の人やカタール、クウェートの人々の冥福を祈りなさい!! そして心からザンゲしなさい!

飯沼二郎さま!!」

(三月一日消印)

「飯沼二郎
お前は悪いヤツやなぁ-!! 近所の奥さん仲間がお前の事、なんといっているか知っているのか、オレタチ学生実行班の調査では、『あの方(お前の事)は国旗や国歌に反対してをられ、私たちも内心は不快に思い、反感をもっているのですが、言論や思想の自由の時代だから仕方ありません』といって、アンタの事、内心では非良心的な、マチがった人間として、内心では思はれているのをしらないのか!!」(三月二一日消印)

「奥様 あなたの御主人は大学教授とゆう要職にありながら、しかも政府から給料をもらっていられる(従って私たちの血税で生活していられる)立場にありながら、大多数市民が反対もしていない国旗や君が代斉唱に反対したり、しかもその代表者とはどうゆうわけですか!!

全く、根本から思考形態が私たち一般女性とはちがう様ですネ! 折角、アメリカのあたえてくれた民主々義のおかげで言論の自由もあり、何をいっても罪されず、政府非難しても弾圧も受けない事を有難いと思った事はないのでしょうか。クウェート解放後は、アメリカ軍はスグ停戦し、あなたの御主人が考えていた様に、イラク本土まで侵攻しなかったではありませんか！　クウェートやサウジの人々がイラク兵の虐殺から解放され、よろこび、涙を流して、アメリカ軍や多国籍軍を感謝してむかえた事を御主人は何と解釈されるのでせう？　御主人にこの文（手紙）をお見せして、御主人がアメリカの悪口を言うのは勘違いしている事を知らせておあげ下さる様ねがいます。平和憲法をタテにしてカネだけ出し、フセインの独裁制と戦はなかったのは、あなたの御主人等反戦派の人たちのせいだと思います。イラク兵のため虐殺されたクウェートや抵抗運動の人たちが御主人の事を知ったら、どんなに激怒するか、考えた事がありますか！　イラクもアメリカの空爆で民間人が多数死んだと御主人は強弁するでしょうが、あれの取材陣はイラクの監視と検閲を受けながらのテレビ放映であり、反米感情を高める目的であった事が見抜けないとは教授の資格も疑はれます。報道によれば、空爆は軍事施設の近くの一部民家だけで、命中率は高く、民間人の被害をさける努力を空軍は充分しているのです。ゆるせないのは、参戦もしていないイスラエル市民えのイラクからの無差別ミサイル攻撃で参戦国同志《（マヽ）》ではなく、イスラエルはアメリカが、戦争の被害をこれ以上、中東に拡大しない様、イスラエルに説得したため、イスラエル人は多数の犠牲者が出ても、ジットガマンして、報復しなかったのです。朝鮮戦争（南北）の時もアメリカ軍は韓国軍を支援し、侵略した北朝鮮を撃退しましたが、38度線でピタリと進軍をやめ、北朝鮮までは侵攻しなかったわけです。又、終戦後（日米戦争）時もソ連、中国は天皇制打倒をいったのに、アメリカは日本人の国民感情を尊重して、天皇制をのこして下さいました。これでも、あなたの御主人はアメリカは軍事大国で、悪い国だとゆうのですか⁉　軍事大国必ずしも悪い国ではありません。反民族反日本人的運動をしても警察の保護がうけられる事を感謝しなければなりません。そんな国の日本政府も、あなたの御主人は非難するのですか⁉よくよくお考えの上、真の日本人として初めから出直す様御主人にお伝え下さい。いつまでもこんな運動をつづけられると、潜入している中東の人々のテロにあう危険もあり、一刻も早く、右の運動はやめる様、本業に戻る様おねがいします。右翼のテロも危険です。私たちは女性であり、抗議はしてもテロはしませんが、右翼や左翼はテロをもしているのです‼」

（四月一日消印）

このような一方で、私は先に、共助会の初代委員長、山本茂男の天皇制に対する姿勢について記したが、昨秋の即位礼・大嘗祭の日（一一月二二、二三日）に行なわれた共助会修養会における共助会副委員長・小笠原亮一の講演の一節を引用したい（『共助』一九九一年二・三月合併号）。共助会も、ようやく、はっきりと、「近代的キリスト教」から脱却しはじめたのである。そして、このことは、私の親しい仲間である共助会についてのみならず、また、現在日本のキリスト者の一般的状況をも象徴するものといえよう。

「このような新しい神話、平和主義者であり立憲君主である昭和、さらに明治天皇のイメージが、平成の新天皇にも継承されていることが、昭和天皇の死を契機とした一連の儀式においてもはっきりと示されました。昨一九八九年の一月七日昭和天皇の死の直後『剣璽等承継の儀』において皇位を継承した新天皇は、九日『朝見の儀』において国民に対し次のような『お言葉』を語りました。『顧みれば、大行天皇には、御在位六十有余年ひたすら世界の平和と国民の幸福を祈念され、激動の時代にあって、常に国民と共に幾多の困難を乗りこえられ、今日、我が国は国民生活の安定と繁栄を実現し、平和国家として国際社会に名誉ある地位を占めるに到りました』。ここでも父昭和天皇は、あの数千万の犠牲を生んだ戦争やそれに対する責任がなかったかの如く、平和主義者としてたたえられています。(中略)

さらに去る十一月十二日、新天皇は即位の礼において高御座から次のように語りました。『このときに当たり、改めて、御父昭和天皇の六十余年にわたる御在位の間、いかなるときも、国民と苦楽を共にされた御心を心として』。この『お言葉』はおそらくあの『人間宣言』の『然レドモ朕ハ爾等国民ト共ニ在リ、常ニ利害ヲ同ジウシ休戚ヲ分タント欲ス』を受けた言葉です。休戚は喜びと悲しみを意味しています。つまり、『常ニ利害ヲ同ジウシ休戚ヲ分タント欲ス』という昭和天皇の願いが『六十余年にわたる御在位の間、いかなるときも、国民と苦楽を共にされた』ということにおいて成就された、と完了形、過去形で語られているのです。(中略)

この高御座は、伊藤博文が神聖天皇を謳った明治憲法に即応するものとして明治末期に作った皇室典範、登極令に基づいて製作され、神聖天皇の統治権が由来する高天原や神勅を象徴する神話的伝統的要素を根幹に、西欧の玉座に通じる近代化がほどこされたものであると言われております。この高御座に登ったのは大正天皇と昭和天皇であり、今回新天皇が登ったのも同じ高御座です。アジアの数千万の人々を殺したるを得ません。

罪を覆い隠し、憲法の根本的な変化がなかったかの如く高御座に登る姿には偽瞞と虚偽が満ちています。

私は、その罪を覆い隠して偽瞞的に美化され、聖化され、神化された高御座の天皇とまったく対照的に、世の罪を負って罪人として辱しめと苦しみに満ちて十字架に挙げられたイエス・キリストのことを思わざるを得ません。

天皇は朝見の儀においても即位礼においてもくりかえし憲法を守ると語りました。昭和天皇は戦後、憲法で定められた国事行為以外の公的行為と呼ばれる行為を行ってきました。それは天皇が国や国民の統合の象徴であるところから必然に付随する行為であるとされています。こうして国事行為と私的行為との間に曖昧な公的行為の領域が設定されて、この領域が無際限に拡大してきました。新天皇は昨夜（二二日）から今朝（二三日）にかけて大嘗祭をこの公的行事として行いました。政府が神道儀式であることを認め政教分離原則に違反するために国事とすることができなかった大嘗祭を、公的行事として国費で行ったのです。昭和天皇が無際限に拡大して来た公的行為の行き着いた先が、新天皇の公的行事としての大嘗祭であったのです。そして新天皇が憲法を守ると宣言しつつ大嘗祭を公的行為として行ったということは、一つの重大な憲法解釈、主張であり、憲法を空洞化する政治行為です。そういう点で私は、新天皇の憲法を守るという言葉には、もはや信頼も期待もよせることができません。象徴天皇制が高御座や大嘗祭を含む現実として眼前に明らかになった今、私はそれに対し否定的に対峙するしかありません」。

一九九一年四月三〇日　　　　　　　　　　　　　　　　飯沼二郎

天皇制とキリスト者

1991年6月25日　初版発行

著　者　飯　沼　二　郎

発行所　日本基督教団出版局

〒169　東京都新宿区西早稲田2丁目3の18
振替　東京 8-145610　電話 03(3204) 0421（代）

印刷　精興社　　製本　市村製本所

本書は前記奥付に表示した書籍を底本とする復刻版です。

飯沼二郎《いいぬまじろう》

1918年、東京に生まれる。1941年、京都大学農学部卒業。
農業経済学専攻、京都大学名誉教授。2005年死去。

著書　『農業成立史の研究』『ドイツにおける農業成立史の研究』『農業革命論』『明治前期の農業教育』『日本農業技術論』『風土と歴史』『地主王政の構造』『資本主義成立の研究』（共著）『日本農業の再発見』『農具』（共著）『日本農法の提唱』『産直』（共著）『歴史のなかの風土』『日本の古代農業革命』『思想としての農業問題』『世界農業文化史』『農の再生・人の再生』（共著）『農業革命の研究』『転換期の日本農業』『農業は再建できる』『信仰・個性・人生』『キリスト者と市民運動』『国家権力とキリスト教』『イエスの言葉による行動のための手引き』『見えない人々—在日朝鮮人』『これらの最も小さい者のひとりに』『わたしの歩んだ現代』『日本帝国主義下の朝鮮伝道』（共著）『伝道に生きて』（共著）『日本農村伝道史研究』等。

天皇制とキリスト者（オンデマンド版）

2006年 2月10日　発行

著　者　飯　沼　二　郎
発行所　日本キリスト教団出版局
169-0051　東京都新宿区西早稲田 2 丁目 3 の18
電話・営業03（3204）0422，編集03（3204）0424
振替 00180-0-145610
印刷・製本　株式会社　デジタル パブリッシング サービス
162-0812　東京都新宿区五軒町11-13
電話03（5225）6061，FAX03（3266）9639

ISBN4-8184-5065-0　C0016　日キ版
Printed in Japan